エスター・ヒックス＋ジェリー・ヒックス
吉田利子 訳

お金と引き寄せの法則

富と健康、仕事を引き寄せ
成功する究極の方法

Money, and the Law of Attraction

MONEY, AND THE LAW OF ATTRACTION by Esther and Jerry Hicks

Originally published in 2008 by Hay House Inc., USA
Japanese translation rights arranged with Hay House UK Ltd.
through Owls Agency Inc.

Tune into Hay House broadcasting at: www.hayhouseradio.com

わたしたちは今の時代に非常に大きな影響を与えている人たちに会ったことがある。
なかでもヘイ・ハウスの創立者ルイーズ・ヘイ（ルル）は、
まるで水源のように人々を元気づける前向きの流れを世に送り続けている。
ルルのビジョンに導かれたヘイ・ハウスは、今やスピリチュアル本や自己啓発本では世界最大の出版社になった。

そこで、ルイーズ・ヘイに――それから彼女のビジョンに引き寄せられたすべての人たちに――
愛と感謝を込めて本書を捧げる。

お金と引き寄せの法則　目次

●Part1
転換と肯定的な側面の本

●Part2
お金を引き寄せ、豊かさを実現する

●Part3

健康を維持する方法

●Part4
健康とダイエットと心についてのバランスのとれた見方

●Part5

喜びとお金の源泉としてのキャリア

はじめに

ジェリー・ヒックス

あなたをこの本に引き寄せたのはなんだと思われるだろう？　どうして、あなたは今この文章を読んでいるのだろうか？　あなたが関心を持ったのは題名のどの部分だろう？　お金？　富？　健康？　仕事？　それとも「引き寄せの法則」だろうか？

どんな理由でこの本に関心を持ったにしても、この本の情報はあなたが求める何かに答えようとしている。

これはなんの本か？　この本は、人生は素晴らしく、わたしたちはみんな幸せであることが自然だ、ということを教える。今のあなたの人生がどんなに素晴らしくても、もっと素晴らしくなる可能性があるし、もっと素晴らしい人生を体験しようと考えてそれを実現する力があなた自身にあることを教える。それからこの本は実践的で哲学的なツールを提供する。そのツールをずっと使い続ければ、本来あなたのものであるもっと多くの富と健康と幸福を体験できる（こう言うのは、わたし自身が体験したからだ。コントラストのはっきりした体験のなかで何を望むかが明確になり、新しい願望が生まれ、その願望が実現してさらに、というように歩んできて、わたしの人生はますます素晴らしいものになっている）。

人生は素晴らしい！　今は2008年の1月1日、わたしはこの文章を「安息の地（ヘヴン）」と名づけたカリフォルニア州デルマーの新居のダイニングテーブルで書いている。

エスターと結婚したとき（1980年）からずっと、わたしたちはこの「エデンの園」をできるだけ訪れるようにしてきた。そして、長年サンディエゴ大好き旅行者だったわたしたちは、サンディエゴ大好き住民として一時的にここで暮らすことになった。

大好きにならずにいられない、高く評価すべきことがここにはたくさんある。この家に導いてくれた友人（わたしたちは全長14メートルあるバスを停車できる家をデルマーで探していると言った）。それに造園技師、技術者、デザイナー、大工、電気技師、配管工、タイルの屋根を葺いてくれた人、銅の配管を作ってくれた人。それから才能と技術を持った専門家、タイルを敷き、漆喰やペンキを塗り、フェンスや門やさまざまな鉄製品を作ってくれた人たち。まだある。床張り、特注のリフトや引き戸、アーチ型の木製窓枠や扉、ステンドグラスを手がけてくれた人たち。それからハイテクを駆使して、ルートロン社の集中コントロール式照明システム、オーディオ・ビデオ・コンピューターのネットワークシステム、トレイン社の新しい（静かな）集中空調システム、スナイデロ社・ミーレ社・ボシュ社・バイキング社のキッチンとランドリー設備を設置してくれた人たち。新しい家具を配置し、さらに何度も何度も――わたしたちが最高と感じるまで――配置を変更してくれた人たちもいる。溝を掘り、配管し、運搬し、セメントをこね、石を細工し、大きな樹木を植え替えてくれた人たち……ほかにも手を貸してくれた――そしてその仕事から利益を得た――人たちは何千人にも上る。何千もの製品を発明し、創り出し、流通させている人たちだ。それを考えるとどんなに感謝してもしきれない。

しかも、これは氷山の一角にすぎない。新しい「お気に入り」のレストランが――オーナーとスタッフごと――すぐ近くに見つかった。今まで経験したことがない歓迎ぶりを見せてくれた、実に多様で積極的な楽しい隣人たちもいる。

まだまだある。南側にはカーメル・ヴァレー・クリークや水鳥保護区をへだてて、息をのむほど野性豊かなトリー・パイン自然保護区の風景が広がり、その先で太平洋の泡立つ波がトリー・パイン・ビーチを洗っている。そう、人生は実に素晴らしい！（エスターとわたしはさっきビーチをちょっと散歩してきた。今夜はエイブラハムのいちばん新しい本――『お金と引き寄せの法則　富と健康、仕事を引き寄せ成功する究極の方法』の仕上げをするつもりだ）

わたしがモンタナの小さな町のモーテルで「たまたま」コーヒーテーブルに載っている本に気づいたのは、もう40年以上も前、大学を回ってコンサートを開いていたときだった。そのナポレオン・ヒル著『思考は現実化する』（騎虎書房）という本がきっかけでお金についての考え方が一変し、わたしは本の内容を活用して、以前だったら考えもしなかったような金銭的成功を引き寄せた。

それまでは、思考を現実化して豊かになろうなどと考えたことはなかった。だがこの本を見つける少し前に、お金を稼ぐ方法を変えよう――そしてもっとたくさん稼ごう――と決意していた。だから、ナポレオン・ヒルの本に引き寄せられたのは、自分が「求める」ことへの直接的な回答だったのだ。

モンタナのモーテルで『思考は現実化する』を発見してまもなく、今度はミネソタのモーテルで一人の人物と出会った。彼はヒルの教えにぴったりのビジネスチャンスを提供してくれたので、それから9年、わたしはビジネスを育て上げることに集中して楽しく過ごした。その9年の間にビジネスは何百万ドルもの価値がある国際企業に成長した。こうして比較的短期間に、わたしの経済状態はなんとかやっていける程度（それまではそれだけを望んでいた）から、新たに目指した金銭的目標のすべてをクリアするまでになった。

ナポレオン・ヒルの本から学んだことが素晴らしい効果を上げたので、わたしはこれを「教科書」にして彼の成功法則をビジネス仲間にも分かち合おうと考えた。だが振り返ってみると、あの教えはわたしには素晴らしく効果的だったのに、わたしが願ったような金銭的成功に達したビジネス仲間はたった二人だけだった。そこでわたしはもっと大勢の人に効果を上げる別のレベルの答えはないものかと探し始めた。

『思考は現実化する』を活用して豊かになった体験から、成功する方法は「学べる」とわたしは確信した。お金儲(もう)けの方法を発見した一族に生まれなくてもだいじょうぶ。学校でいい成績をとっていなくても、いいコネがなくても、恵れた国に住んでいなくても、身体の大きさ、肌の色、ジェンダー、宗教がどうであっても……ただ、いくつかのシンプルな原則を学んで、たゆまず実行すれば、それでいい。

しかし、みんなが同じ言葉から同じメッセージを受け取るとは限らない。あるいは同じ本を読んでも結果が同じとは限らない。もっと理解したいと「求め」始めてすぐに、わたしはリチャード・バックの啓発的な本『イリュージョン』(集英社)と出会った。『イリュージョン』を読んだわたしは「なるほど、そうか!」というスリリングな体験をしたし、そのあとに経験する現象に心を開く準備となる概念をいくつか知った。だが、ビジネスに意識的に活用できる新しい原則は何も見つからなかった。

次の決定的な価値を持つ本との「偶然」の出会いは、フェニックス図書館をぶらぶらしているときに起こった。何かを「探して」いるわけではなかったが、たまたま棚の上のほうにジェーン・ロバーツとロバート・F・バッツの『セスは語る――魂が永遠であるということ』（ナチュラルスピリット）という本があるのを見つけた。「見えない世界の存在」セスはジェーンの「口述筆記」でいくつもの本を書いており、わたしはそれを全部読んだ。このコミュニケーション方法はたいていの人にとっては奇異に感じられるだろうが（エスターも最初はひどく嫌がった）、わたしはいつも果実を見て木を判断することにしていた。それでセスの本の「奇異な」面は棚上げし、前向きで実践的な、ほかの人たちの人生経験をもっとよくする力になるのに役立ちそうな内容にだけ関心を向けた。

セスは人生について、わたしがそれまで聞いていたのとは違った見方をしていた。特にわたしが興味を持ったのは、セスの「あなたは自分の現実を自分で創造している」と「あなたのパワーが働くのは現在である」という二つの言葉だった。いくら読んでもこの原則を本当に理解できたとは思えなかったが、しかし、そこに自分の疑問に対する答えがあるという気がした。だが、ジェーンはもはやこの世の人ではなかったので、「セス」にもっとはっきりした説明を聞くことは不可能だった。

それからいくつかの偶然ののち、妻のエスターが、セスとジェーンの体験とよく似たやり方で、「エイブラハムの教え」として知られている内容を受け取り始めた（エイ

ブラハムとの出会いが詳しく記録されている初期のテープを聞きたい方は、

「Introduction to Abraham」をwww.abraham-hicks.comでダウンロードするか、無料のCDを請求していただきたい）。

1985年にエスターにこの現象が起こったとき、わたしはこれで「宇宙の法則」をもっと理解したいという願いがかなえられると感じた。そして、穏やかに意図的に「宇宙の法則」と一体化して、物質世界の存在となったときの目的を達成することができるだろうと思った。そこで約20年前、小型のカセットテープレコーダーを用意してエスターのそばに座り、エイブラハムに何百もの質問をし始めた。質問の基本テーマは20で、ほとんどが現実的なスピリチュアリティに関するものだった。やがてエイブラハムのことを聞いて、わたしたちと交流したいと願う人たちが現れたので、その20の記録を「特別な主題」というアルバムにして公表した。

この20年あまりの間に何百万人もの人々がわたしたちの本やテープ、CD、ビデオ、DVD、ワークショップ、ラジオやテレビでエイブラハムの教えを知った。さらにほかのベストセラーの著者も本やラジオ、テレビ、ワークショップでエイブラハムの教えを使い始めた。そして2年ほど前、オーストラリアのテレビプロデューサーから、エイブラハムとわたしたちのセッションを取材してテレビ番組シリーズを製作したいという申し入れがあった。彼女は取材班とともにわたしたちのアラスカクルーズに参加して番組を撮影し、さらに（パイロット）フィルムに登場してもらえそうなほかの学習者たちを探しに出かけた。そしてそのあとは（よくいうように）皆さんもご存じのとおりだ。

そのプロデューサーが『ザ・シークレット』と名づけた番組には、エイブラハムの教えの基本、「引き寄せの法則」が特集されていた。オーストラリアのネットワーク（ナイン）ではシリーズとして採用されなかったが、このドキュメンタリーは直接DVD化され、さらに本にもなった。そして現在、『ザ・シークレット』のおかげで、「引き寄せの法則」は、人生をもっと素晴らしいものにしたいと願う何百万人もの人々の知るところとなった。

この本は20年余り前の初期の記録テープのうちの5本をもとに作られている。この内容が本になるのはこれが初めてだが、しかし一言一句当初の記録どおりではない。エイブラハムがすべてに目を通し、読者に理解しやすく、すぐに実践できるようにと手を加えたからだ。

教育の世界には「これから何を語ろうとするかを語りなさい。それから語ろうとすることを語りなさい。そして既に語ったことを語りなさい」という言葉がある。これから教えに入っていこうとする人たちは、いくつもの繰り返しがあることに気づくだろう。わたしたちは繰り返しを通じてしっかりと学ぶ。習慣になった古い制約的な思考パターンを続けながら、制約のない新しい結果に到達することはできない。だが、シンプルな繰り返しを実践していけば、やがては人生を一変させる新しい習慣が楽しく身につく。

メディアの世界ではこんなことを言う。「人は情報を与えられるより、楽しませてもらうほうが好きだ」新しい人生観を学ぶことが楽しいと思う場合は別として、この本は娯楽というよりは情報提供の部類に入るだろう。だが、楽しく読んでそれっきりの読み物とは違って、これは――富と健康と幸福を獲得し維持するための原則を教える教科書のようなものだから――読んで、学んで、実践して役立たせていただきたい。

わたしがこの情報に導かれたのは、ほかの人たちにもっといい気分になってほしい、特に金銭的な満足を感じてほしい、そのために役立ちたいと願ったからだ。だからこの『お金と引き寄せの法則』の本を通じて人々の疑問に答えられることが、ことのほかありがたいと思う。

この『お金と引き寄せの法則』は予定されている「引き寄せの法則」シリーズの2冊目で、2年前に1冊目となる『引き寄せの法則　エイブラハムとの対話』が出版されている。3冊目は『人間関係と引き寄せの法則』で、最後は『スピリチュアリティと引き寄せの法則』となる予定だ。

本書の出版にあたって人生を変えるこの内容をもう一度読むことは、エスターにとってもわたしにとってもとても楽しい経験だった。わたしたちはエイブラハムとの交流の最初のころに話し合った基本的でシンプルな原則を再び思い出した。

エスターとわたしは、最初からエイブラハムの教えを人生に応用しようと考えていた。その結果どんなに楽しい成長の体験ができたか、驚くほかはない。これらの法則を20年実践してきて、エスターとわたしは今も愛し合っている(カリフォルニアの新居が完成したところで、さらにテキサスのビジネス街にも新しい家を建設中だが、わたしたちはいっしょに行動するのが楽しいので、来年の大半は14メートルの大型バス、マラソン・コーチでワークショップからワークショップへと旅を続けるつもりでいる)。この20年健康診断を受けたことも(保険を使ったことも)ない。借金もないし、今年はエイブラハムの導きを知るまでに稼いだ全額よりも多額のお金を所得税として納めることになりそうだ。お金や健康がわたしたちを幸せにするわけではないが、エスターとわたしは幸せになる方法も見いだし続けている。

だから、皆さんにこう断言できることがとてもうれしい。この法則は使えます!

心を込めて　ジェリー

（編者の註：エスターがチャネリングで受け止めた見えない世界の思考は、必ずしも今ある言葉で適切に表現できるとは限らない。そこでエスターは、人生に対する新しい見方を伝えるために、言葉の新しい組み合わせを用いたり、既にある言葉を新しいやり方——例えば普通なら使わないところで、強調文字を使用するなど——で使っていることにご注意いただきたい）

Part1

転換と肯定的な側面の本

あなたが語るストーリーと「引き寄せの法則」

あなたの人生経験を構成しているすべては、あなたの思考とあなたが語る人生のストーリーに、強力な「引き寄せの法則」が働いて引き寄せられてくる。お金や金銭的な資産、体調や血色のよさ、柔軟性、大きさ、形、仕事の環境、人にどう扱われるか、職業上の満足と報酬――つまり一般的な人生の幸せそのもの――のすべては、あなたが自分自身に語るストーリーが原因で生じている。あなたが毎日自分に語るストーリーの中身を見直して、もっとよいものにしようと固く決意すれば、間違いなく人生はどんどん素晴らしいものになる。強力な「引き寄せの法則」によって、そうならないはずはないからだ！

人生は不公平？

あなたはもっと成功したいと思い、こうしなさいと言われることをなんでも実行してがんばったが、求める成功はなかなか実現しなかった。特に初めのうちは一生懸命に努力し、学ぶべきことをすべて学び、行くべきところへ行き、やるべきことをやって、言うべきことを言った。だが、物事はたいしてよくなったようには思えなかった。

人生の初め、成功したいと考え始めたころには、成功のルールを決めている人々の期待を満足させることで満足した。教師や両親、メンターたちは、成功するためのルールを自信ありげに言い聞かせた。「時間を守りなさい。ベストを尽くしなさい。一生懸命に努力しなさい。いつも正直でありなさい。高い目標を持ちなさい。もっと努力しなさい。楽しんで成功はできません。それから決してあきらめないことが大事です……」

だが、時がたつにつれ、ルールを決めている人たちに認められたという満足は色あせていく。この人たちの成功の原則が――いくらがんばってみても――約束された結果を生み出さないからだ。もっとがっかりするのは、よく見るとその人たちだってルールに従ってもあまり成功していないとわかってしまうことだ。さらに困ったことに、あなたが一生懸命に学んで実践してきた処方箋とは無関係に成功している人たち

（明らかに成功のルールなるものに従っていない人たち）がいることがわかってくる。

そこであなたは自問する。「どうなっているんだろう？　どうして一生懸命努力しているのに少なく、ろくに努力していないような人たちが大成功しているのだろう？　せっかく高い授業料を払った教育がなんにも役立たない――ところが高校をドロップアウトして大金持ちになった人がいる。わたしの父親は毎日必死で働いた――それなのに父が亡くなったときには葬儀費用もなくて、家族は借金しなければならなかった。わたしだってこんなに必死に働いているのに、どうしてちっとも楽にならないのだろう？　どうしてあんまり働いていない人たちが金持ちになるのに、ほとんどの人たちはいくらがんばってもやっと食べていけるだけなのか？　わたしには何が足りないのだろう？　金銭的に成功した人たちは、わたしが知らないどんなことを知っているのだろうか？」

「ベストを尽くす」だけでは十分ではない？

成功するために思いついたことをすべてやり、成功者に「こうすればいい」と言われたとおりに必死でがんばったのに、それでも成功しなかったら、自分に何か問題があるんじゃないかと思ったり、成功をこれ見よがしに見せびらかしている人たちに怒りを感じたりしても無理はない。それどころか、やすやすと成功している人たちを見ているのがつらいから、その人たちを非難したくなるかもしれない。だからこそ――この社会では金銭的な問題について、そんな状況に陥りやすいから――この本を読んでもらいたいのだ。

あなたが本心では望んでいる金銭的成功をおおっぴらに非難するようになってしまったら、あなたは決して金銭的に成功しないばかりか、もともと神に与えられた権利である健康や幸せまでも失ってしまう。

実際、自分の周りにいる人たちが結託して自分を成功させまいと陰謀を企てている、という間違った結論を出している人も多い。こういう人たちは成功するためにやるべきことは全部やったと本気で信じていて、それなのに成功できないのは、自分のじゃまをする敵対的な力が働いているに違いない、と思う。だが断言するが、あなたの望みが実現しないのは、あるいはあなたが経験したくないことが起こるのは、そんな敵対的な力が存在するからではない。あなたの成功を妨げる者も――あるいはあなたを成功に導く者も――あなた以外には誰もいない。成功するかどうかはすべて、あなた次第なのだ。すべてはあなたがコントロールしている。わたしたちがこの本を書いているのは、自分の成功は自分が意識して意図的にコントロールできるということを、はっきりとわからせてあげたいからだ。

あなたもそろそろ自分という存在の本質に目覚め、さまざまな経験を通じてこれが自分の望みだと気づいたことを実現し、思いどおりに成功する人生を歩んでもいいころだ。気分をゆったりさせて深呼吸し、本書を読んでほしい。そうすればだんだんと、しかし確実に、すべての成功がどんなふうに訪れるのかを思い出すはずだ。あなたは本当はもうそのことを理解している。だからこの本を読んでいるうちに、そうそう、そうだったと自分のなかで共鳴するものをきっと感じるだろう。

永遠なる「宇宙の法則」は常に一貫していて信頼できるし、いつも拡大と喜びという約束を実現してくれる。ここではその「宇宙の法則」を理解しやすいように、力強くリズミカルに紹介するから、あなたのなかで小さな理解が芽生え、ページを追うごとにその理解が大きくなって、やがては世界を創造している「宇宙」のパワーにアクセスする方法を思い出し、自分の目的とパワーに目覚めるだろう。

この時空という現実にあなたの願望を目覚めさせる力が宿っているなら、同じ時空という現実はあなたの願望を十分満足に実現する力も間違いなく持っている。それが「法則」だ。

成功は生まれながらの権利

人生が思うようにならないと、ほとんどの人は、自分で自分の成功のじゃまをするはずはないから外部の力がじゃましているに違いない、と考えがちだ。望まない状況の責任を自分で引き受けるよりも他人を非難するほうが楽には違いないが、自分が成功しない理由が外部にあると信じると、とても大きな悪影響を受けてしまう。**自分の成功や失敗を他人のせいにすると、自分ではどんな変化も引き起こせなくなるからだ。**

成功したいと願い、それなのに——自分が見るところ——今は成功していないとき、存在の深いレベルで何かがおかしいと感じる。この強い違和感によって、自分が望むものを得ていないことをはっきり意識すると、さらに非生産的な思いにつながり、自分よりも成功している人たちを嫉妬したり、自分の成功を妨げているように見える人たちを恨んだり、さらにはなによりも非生産的で苦しい劣等感が生まれたりする。確かにこのような不快な気分が起こるのも不思議ではないし、成功できないことに対するごく自然な反応であることは認める。

感情的な不快感は、何かがまったくうまくいっていないという確かな指標だ。あなたは成功して当然なのだから、成功しないと嫌な感じがする。元気でいて当然なのだから、病気は受け入れられない。拡大して当然なのだから、停滞していると我慢がならない。人生はうまくいって当然だ。だから、うまくいかないのは何かが間違っているのだ。

しかし間違っているといっても、不正が行われているとか、幸運の女神がそっぽを向いているとか、誰かがあなたの成功を横取りしたわけではない。間違っているのは、自分という「存在」や「本当の自分」、人生があなたに求めさせるように仕向けたこと、拡大してきた自分自身、そして常に一貫している「宇宙の法則」とあなた自身が調和していないことだ。間違っているのは、あなたの外にある何か、あなたがコントロールできない何かではない。**間違っているのはあなたのなかのこと、あなたがコントロールできることだ。そして「本当の自分」のベースを知り、「引き寄せの法則」の基本を知り、さらに生まれたときからあなたに備わっている「感情というナビゲーションシステム」の価値を知れば、コントロールすることは全然難しくはない。この「ナビゲーションシステム」はいつも働いているし、わかりやすい。**

お金は諸悪の根源でも、幸福の根源でもない

ここで重要なテーマになっている「お金」と「金銭的成功」は、多くの人が言うように「諸悪の根源」ではないし、幸福への道でもない。だが、お金というテーマはほとんどの人に毎日ひっきりなしにかかわってくるから、あなたの波動の成り立ちや引

き寄せの作用点にとっては大きな構成要素になる。日々これほど大きな影響を受けるものを上手にコントロールできれば、相当大きなことが達成できる。言い換えれば、どんな日をとってもお金や金銭的な成功にかかわることが思考の大部分を占めているから、思考を意図的に方向づければ、すぐに金銭的な成功に向かって前進できるし、その成功が証拠となって、人生のすべての面で意図的な改善を目指そうという気分になれる。

もしあなたが「意図的創造」を学んでいるなら、もし自分の現実を意識的に創造したいと望んでいるなら、もし人生を自分でコントロールしたいと考えているなら、もし生きる理由を確認し実感したいと思っているなら、この圧倒的に大きなテーマ――『お金と引き寄せの法則』――を理解することはとてつもなく役に立つだろう。

自分の経験はすべて自分で引き寄せている

あなたは拡大成長し、喜びに満ちた楽しい経験をするために生まれてきた。それがこの時空という現実に物質的な身体として焦点を結んで生まれ出ようと決意したときのあなたの計画だった。あなたはこの物質世界でワクワクする、得るところの多い人生を送ろうと期待していた。言い換えれば、あなたは多様性とコントラストに刺激されて願望が拡大すること、願望のどれも自分で楽に、そして完全に実現できることを知っていた。さらに新しい願望の拡大に終わりはないことも知っていた。

あなたはこの人生経験から生まれる可能性に胸躍らせて身体に宿ったのだし、そのときに抱いた願望は不安や疑いで曇ってはいなかった。自分のパワーを知っていたし、この人生経験やそこで見られるコントラストのすべてが、素晴らしい拡大のための豊かな土壌であることを知っていたからだ。なによりも、人生を始めるにあたって自分には**「ナビゲーションシステム」があること、それがあれば最初の意図からも、また人生経験に触発されて限りなく修正されていく意図からも外れないで済むことを知っていた。要するに、あなたは小さな身体には不似合いなほどの情熱を持って、この時空という現実に生まれ出たのだ。**

あなたは幼い小さな身体に宿って新たに人生を始めようとしてはいたが、初心者ではなく、力強い創造力を持った天才で、新しい「最先端」の環境に新たに焦点を定めていた。意図的創造のプロセスを始めるにあたっては、新たな基盤を確定する調整期間があること、そしてその調整期間について自分が少しも心配していないことを知っていた。それどころか、あなたは生まれ出た巣や新しい物質世界の環境で迎えてくれる人たちを楽しんでいた。あなたはまだその人たちの言葉を話すことはできなかったが——そしてあなたを迎えた人たちは何も知らないうぶなあなたを導いてやらなければならないと思っていたが——あなたにはその人たちのほとんどがとっくに忘れてしまった安定感と知識があった。

あなたは生まれ出たとき、自分が力強い存在であること、自分は善で、自分の経験の創造者であること、新しい環境におけるすべての創造の基本は「引き寄せの法則」であることを知っていた。そしてあなたは「引き寄せの法則」（要するに、それ自身に似たものを引き寄せるということ）が宇宙の基本であることを思い、その法則を上手に活用できると考えた。実際にそのとおりなのだ。

そのころあなたは、まだ自分が自分の経験の創造者であることを覚えていた。それよりもっと重要なのは、創造は「行動」を通じてではなく「思考」を通じて行われることを覚えていたことだ。自分からは行動できず、話すこともできない小さな赤ん坊であってもあなたは平気だった。なぜなら「宇宙の幸せ」を覚えていたし、物質世界の身体に宿ろうと考えたことも覚えていたし、新しい環境の言葉ややり方に順応する時間はいくらでもあることも知っていたから。そしてなによりも、見えない世界の環境にいたころの膨大な知識を物質世界の言葉や表現に翻訳できなくてもかまわない、いちばん大事なのは既に始まった喜びにあふれる創造の道を進むことだ、と知っていたからだ。あなたは「引き寄せの法則」が一貫して働いていること、あなたの「ナビゲーションシステム」が直ちに作動することを知っていた。とりわけ試行錯誤によって（人によっては「過ち」とよぶものを通じて）、やがては新しい環境で完璧かつ意図的に方向を定められることを知っていた。

「引き寄せの法則」は一貫して働いている

「引き寄せの法則」が宇宙全体に一貫して安定的に作用しているという事実は、あなたが自信を持って物質世界の環境に生まれ出るにあたっての大きな要素だった。あなたは人生のフィードバックによって自分の足場を思い出し、固めることができると知っていた。すべての基本は「波動」であること、「引き寄せの法則」はその波動に作用すること、要するに「法則」が波動を整えて組み立て、似た波動を集め、似ていない波動を遠ざけることを知っていた。

だからあなたは、その知識をすぐに言葉にしたり、知っていたはずなのに忘れているらしい周りの人に説明することはできなくても、心配はしなかった。この力強い一貫した「法則」がすぐにあなた自身の人生という例を通して示されるとわかっていたからだ。自分がどんな波動を出しているかを知るのはそう難しくないこともわかっていた。あなたの波動がどんなものか、「引き寄せの法則」がいつも証拠を見せてくれるからだ。

言い換えれば、ネガティブな感情に「圧倒されて」何もできないと感じているときには、その気分から救い出してくれる環境や人は寄ってこないし、あなたもそのような環境や人を見つけることはできない。いくら努力しても、それは無理だ。そしてあなたのほうへ寄ってくる人はあなたを救い出すどころか、さらにネガティブな気分にするだろう。

自分が「不当な扱い」を受けていると感じているときには、公平に扱われることはない。不当な扱いを受けているという思いと、その結果としてあなたが出す波動が、公平な扱いと感じるものをすべて遠ざけるからだ。

必要な金銭的リソースがないと思って「失望」や「不安」に埋もれていたら、お金に――あるいはお金が入ってくるチャンスに――あなたの手は届かない。あなたがダメだから、価値がないからではなくて、「引き寄せの法則」が似たものを引き寄せるからだ。

あなたが「貧しい」と感じていたら、貧しさを感じさせるものだけが引き寄せられてくる。「豊か」だと感じていたら、豊かさを感じさせるものだけが引き寄せられてくる。この「法則」は一貫している。そこに関心を向ければ、人生経験がこの法則の働きを教えてくれる。**自分が獲得するのは思考のエッセンスだということを思い出し、そして自分が何を獲得しているかに気づけば、「意図的創造」の鍵が手に入るのだ。**

波動とは何か?

わたしたちが「波動」について語るのは、あなたの経験のベースに目を向けてほしいからだ。すべてのベースは「波動」なのだから。この言葉は「エネルギー」と言い換えてもいいし、ほかにもあてはまる言葉はたくさんある。

ほとんどの人は波動を音の性質として理解している。楽器が深い豊かな低音の音色を奏でているとき、あなたは音が波動であることを実感するだろう。

あなたが何かを「聞く」ときには波動を耳で聞く音として解釈しているのだ、ということを理解してほしい。あなたが聞いているのは波動についての「あなた自身の」解釈だ。あなた独自の解釈なのだ。見て聞いて味わって嗅いで触れるという感覚器官が存在するのは、宇宙のすべてが波動で、それぞれの感覚器官が波動を読み取り、それぞれの感覚として解釈するからだ。

そこで、あなたは高度に調和した脈打つ波動の「宇宙」に生きていること、あなたという存在も核心部分では波動のバランスと調和としか表現しようのないものと一致する波動であることが理解できれば、あなたはわたしたちがいう「波動」を理解したことになる。

あなたがたの世界の大気中に、土中に、水中に、そしてあなたの身体のなかに存在

するすべては、動いている波動だ。そしてそのすべてが強力な「引き寄せの法則」に従っている。

その波動を仕分けしたいと思っても、それはできない。仕分けする必要もない。なぜなら「引き寄せの法則」が常に仕分けをして、似た波動を集め、似ていない波動は遠ざけているから。

あなたの身体が持つ六つの波動解釈器官のなかでは、感情が最も強力かつ重要で、現在の思考（波動）があなたという存在の核心の波動と調和しているかどうかをいつも教えている。


見えない世界は波動だ。

あなたが知っている物質世界も波動だ。

波動という性質を持たないものは、存在しない。

「引き寄せの法則」に従っていないものは、存在しない。

波動を理解すれば、意識的に二つの世界の橋渡しをするのに役立つ。

あなたは複雑な視神経や第一次視覚野について理解していなくても、見ることはできる。電気を理解していなくても明かりをつけることができるし、波動を理解していなくても調和しているかいないかを感じることはできる。


波動としての自分の性質を受け入れることを学べば、そして感情という波動の指標

を意識的に活用すれば、あなたは自分の創造も、その結果としての人生経験も、意識的にコントロールすることができる。

豊かだと感じると、豊かさが寄ってくる

自分が感じていることと実際の経験との関係を意識するようになると、変化を引き起こす力が生まれる。その関係がわからず、欲しいものが欠けているという思考を出し続けていたら、欲しいものはいつまでも寄ってこない。

そこを誤解するから、どうして自分は豊かになれないのかを説明しようとして、自分以外のものに力を与えてしまう。「わたしが豊かでないのは、間違った環境に生まれたからだ。わたしが豊かでないのは、両親も豊かではなく、どうしたら豊かに生きられるかを教えてくれなかったからだ。わたしが豊かでないのは、ほかの人たちが豊かで、わたしのものであるはずのリソースを奪っているからだ。わたしが豊かでないのは、ごまかされているからだ。価値がないからだ。過去に正しい生き方をしていなかったからだ。政府がわたしの権利を無視するからだ。夫が役目を果たしてくれないからだ。だから、だから、だから……」

しかし思い出してほしい。あなたが「豊かでない」のは、あなたが豊かな人生という波動と異なる波動を出し続けているからだ。貧しいと感じていて（貧しい波動を出し

ていて）豊かになることはあり得ない。豊かさは、豊かさという波動を出さなければ寄ってこない。

多くの人は聞く。「でも豊かでないのに、豊かさの波動なんて出せるわけがないでしょう？　豊かさの波動を出すには、まず豊かにならなければならないんじゃありませんか？」確かに既に豊かさを経験していれば、豊かさという条件を維持するのは簡単だろう。自分に起こっているいいことに目を向けさえすれば、いいことが寄ってくるのだから。しかし、望むことが満たされていない状況なら、望むことのエッセンスを――それが起こる前に――感じ取る方法を探さなければならない。そうしないと望むことは実現しない。

ただ「今の状態」に反応する波動を出していたのでは、「今の状態」を変えることはできない。まだ実現していない夢の興奮や満足を、夢が実現する前に感じる方法を探さなくてはならない。夢が実現したという波動を出し、その波動にマッチした夢の実現体験が「引き寄せの法則」によって引き寄せられてくるように、夢のシナリオを意図的に思い描く方法を探すことが大切である。波動を出さないで実現を求めても、それは不可能な要求でしかない。実現の前に意識して波動を出せば、どんなことでも可能だ。それが「法則」だから。

初期設定のままでなく、意図的に生きよう

この本を書いているのは、あなたがあるレベルでは既に知っていることを思い出させるため、あなたのなかにある波動の知識を再活性化させるためだ。この本にはあなたがもっと広い視野を持っていたころに知っていた知識が書かれているから、読んでいくうちにきっとその知識があなたのなかから現れてくるだろう。

今こそ目覚めるべきとき——あなた個人のパワーと存在理由を思い出すべきときだ。さあ、深呼吸して気分をゆったりさせ、ゆっくりとここに書かれたことを読んで、あなたの本来の波動のエッセンスを取り戻してほしい。

あなたは素晴らしい存在だ。もう他人にコントロールされる赤ん坊ではない。物質世界の環境に適応し、今——この本を読みながら——自分という存在のパワーをフルに認識している。もう荒れ狂う海に浮かぶコルクのように「引き寄せの法則」に翻弄されることはない。ついに自分の運命をコントロールする方法を思い出した。初期設定どおりの反応で今の人生をそのまま受け入れるのではなく、強力な「引き寄せの法則」を活用して人生を意図的に導く力を取り戻そうとしている。それにはこれまでとは違うストーリーを自分に語らなければいけない。今まであった人生、今ある人生のストーリーを語るのはやめて、自分が望む人生のストーリーを語り始めなければなら

ないのだ。

経験したいストーリーを語ろう

意図的に生きるには、意図的に考えなくてはいけない。そのためには思考の正しい方向を決める基準点が必要だ。あなたがこの世に生まれ出たときと同じく、必要な二つの要因は今もそろっている。まず「引き寄せの法則」（最も強力で一貫した宇宙の法則）がすべてを律している。そしてあなたのなかには、きちんと出来上がって、方向をフィードバックしようと待機している「ナビゲーションシステム」がある。あなたがしなければならないのはたった一つ。一見すると小さな、しかし人生を一変させることと。それは、「新たなやり方で自分のストーリーを語ること」だ。自分が望むストーリーを語るのだ。

あなたが人生のストーリーを語るとき（あなたは毎日言葉で、思考で、行動で、人生のストーリーを語っている）、あなたは明るいいい気分でいなくてはいけない。どの瞬間も、どんなことに関しても、あなたはポジティブな側にもネガティブな側にも焦点を定めることができる。宇宙のすべての粒子には――時の果てまでのすべての瞬間には――「望んでいる」と「望みが満たされていない」という両面があって、波動しつつ、あなたが選択するのを待っている。あなたはいつもこの二つの選択肢を前にして、すべてについて望む状態に焦点を定めるか、それとも望みが満たされていない状態に焦点を定めるかを選ぶ。なぜなら、すべての物事は実は二つの事柄から成り立っているからだ。あなたが「望むこと」、そして「望みが満たされていないこと」の二つである。自分が今どちらに焦点を定めているかは、自分の感じ方で見分けることができる。そして、その選択はいつでも変えられる。

すべての物事は、二つの事柄から成る

次の例をご覧になれば、すべての物事は実は二つの事柄だということがよくわかるだろう。

豊かさ／貧しさ（豊かさの欠如）
健康／病気（健康の欠如）
幸福／悲痛（幸福の欠如）
明晰／混乱（明晰さの欠如）
エネルギッシュ／疲労（エネルギーの欠如）
知識／疑い（知識の欠如）
関心／退屈（関心の欠如）

できる／できない
買いたい／買えない
明るくいい気分になりたい／嫌な気分だ
もっとお金が欲しい／お金が足りない
もっとお金が欲しい／どうすればお金が手に入るかわからない
もっとお金が欲しい／あの人は当然の分け前以上にお金を持っている
痩(や)せたい／太っている
新しい車が欲しい／自分の車は古い
恋人が欲しい／恋人がいない

以上の例を見れば、それぞれについてどちらの選択がいいかは一目瞭然だろう。だがあなたが忘れているかもしれない単純で重要なことがある。こういうリストを見るとき、人は自分が望むことよりも現実のままを口にすべきだと(「あるがままを語るべき」だと)思う傾向がある。実はこの傾向が最大の原因となって、間違った創造が行われ、個人が望むものが生まれ出てこないのだ。そこで、本書でさまざまな事例や実践を通じて、今がどうなのかを説明するのではなく「何を望んでいるか」に目を向ける方法を学んでほしい。**「引き寄せの法則」によって違うことを引き寄せたいのなら、まず**

現実とは違うストーリーを語ることから始めなくてはいけないのだ。

今はどんなストーリーを語っているか？

新しいストーリーを語り始めるのにとても効果的なのは、今どんなことを語っているかに耳をすまし、望むこととまったく逆のことを言っているときには立ち止まって、「これは望むことではない。それではわたしは何を望むのか？」と自問することだ。それから何を望むのかを意図的に力強くはっきりと宣言する。

わたしはこんなかっこ悪くて古くて信頼できない車は大嫌いだ。
← わたしはきれいな新しい信頼できる車が欲しい。

わたしはデブだ。
← わたしは細くなりたい。

わたしの雇い主はわたしを評価してくれない。

わたしは雇い主に評価されたい。 ←

言葉を言い換えただけでピカピカの新車が現れたりするものか、太った身体が痩せるものか、雇い主が突然変化して違う待遇をしてくれたりするものか、と反対する人も多いだろう。しかしそれは間違っている。望ましい事柄に意識して焦点を定め、望むことをはっきり宣言すると、そのうちにあなた自身の感じ方が変化してくる。それは波動が変化したということだ。

波動が変化すると引き寄せの作用点も変化し、強力な「引き寄せの法則」によって現実に現れる兆しや指標も変化する。自分が経験したいことを一貫して語り続けているのに、宇宙がそのエッセンスをあなたのもとへ送ってこないことなどあり得ないのだ。

「転換のプロセス」で人生は変わる

「転換のプロセス」とは、すべての物事には実は「望むこと」と「望みが満たされていないこと」の二つの面があることをはっきり認識し、望むことを意図的に語ったり考えたりすることを指す。「転換」すると、すべての事柄について望ましい面を自分のなかで活性化できる。それができれば、すべてについて望むほうのエッセンスが経験のなかに現れる。

ここでとても重要なことを指摘したい。これが望むことだと言いながら、同時に自分の言葉を疑っていたら、あなたの言葉はあなたが望むことを運んではくれない。あなたの波動としての思考がどんな方向の創造をしているかを本当に示しているのは、あなたの感じ方だからだ。「引き寄せの法則」はあなたの言葉に反応するのではなく、**あなた自身が発している波動に作用する。**

ただし、望むことと望まないことをいっぺんに語ることはできないから、望むことを語れば語るだけ、望まないことは口にしなくなる。そして今の状態ではなくてこうなってほしいということを真剣に語り続ければ、やがては（それも比較的短時間で）波動のバランスが変化する。しょっちゅう語り続けていれば、気分も言葉に寄り添っていく。

この「転換のプロセス」にはもっと重要な力がある。**望むものが欠けているというネガティブな方向に目を向けていると思ったら、「これは望むことではない。それならわたしが望むこととはなんだろう？」と自問すれば、答えは自分のなかからわき上がってくる。そしてその瞬間に波動の変化が始まる。「転換」は人生がたちまちよくなる強力なツールなのだ。**

わたしの人生経験はわたしが創造している

あなたは自分の人生経験の創造者である。そして経験の創造者として理解すべき大切なことは、創造は行動を通じて行われるのではないし、何かをすることによって行われるのでもない――さらには何を語るかによって行われるのでもない――ということだ。そうではなく、創造はあなたが差し出す思考によって行われる。

語ったり行動したりすることには必ず波動としての思考が伴う。しかし、言葉や行動を伴わずに波動としての思考を差し出していることはよくある。子どもや赤ちゃんは周りの大人の言葉をまねるよりもずっと早く、波動をまねることを学んでいる。

あなたの思考はすべて独自の周波数の波動を持っている。あなたが差し出すどの思考も、記憶から発したものでも、ほかの人に影響されたものでも、自分の考えと他人の考えの組み合わせであっても――今抱いている思考はすべて――あなただけの周波数で振動している。そして強力な「引き寄せの法則」(要するに似たものを引き寄せるということ)に従って、波動が一致する別の思考を引き寄せている。引き寄せられた思考が合わさると、思考の周波数はもとの思考よりさらに高くなり、「引き寄せの法則」に従ってさらに別の思考を引き寄せ、それがさらに別の思考を引き寄せるという具合に進んで、やがてその思考は「実生活」の状況あるいは現象を引き寄せるほど強力になる。

あなたの周りのすべての人、環境、出来事、状況は、あなたが抱いている思考の力で引き寄せられている。自分が文字どおり思考あるいは波動によって物事を出現させていることがわかれば、自分の思考を意図して方向づけようという新たな決意が芽生えるはずだ。

調和する思考は明るくて気分のいい思考

多くの人たちは、自分が物質世界の現実として知っている血と肉と骨でできた身体以上の存在であると信じている。この自分自身のより大きな部分をよぶのに、人はよく「魂（ソウル）」、「源（ソース）」あるいは「神」という言葉を使う。わたしたちはあなたがたのこの大きくて古くて賢い部分を「内なる存在」とよぶが、この永遠なる部分をどんな言葉でよぶかは別に重要ではない。大切なのは、そのより大きな「あなた」が今もそして永遠に存在し、この地球での今の人生経験に非常に大きな役割を果している、と理解することだ。

あなたが差し出すどんな思考も言葉も行動も、より広い視点という背景のなかに置かれている。それどころか、これは望むことではないとはっきり気づいた時点で、それでは何を望むかが明確になるのは、あなたが望むことにその大きな部分が集中的に関心を注いでいるからだ。

望むほうへ思考を方向づけようと日々意識的に努力しているうちに、あなたはだんだん明るくていい気分になっていく。明るい思考で活性化された波動は、もっと大きな「見えない世界」のあなたの波動とだんだん一致していくからだ。明るいことを考えたいという願いが、「内なる存在」のより広い視野に調和する方向へとあなたを導いていく。それどころか、考えていることの波動が「内なる存在」の思考の波動と一致しなければ、本当に明るくていい気分になることはあり得ない。

例えばあなたの「内なる存在」はあなたの価値に焦点を定めている。だから、あなたが自分の欠陥を気にすると、波動が一致せずに衝突して嫌な気分になる。あなたの「内なる存在」は愛を感じられることにだけ焦点を定めることを選ぶ。だから、あなたが誰かあるいは何かの嫌な部分に焦点を定めると「内なる存在」と波動がずれてしまう。「内なる存在」はあなたの成功にだけ焦点を定めている。だから、自分がしていることは失敗だという見方をすると、あなたは「内なる存在」の視点から外れてしまう。

「源（ソース）」の目で世界を見る

明るくていい気分になる考えを選び、自分が望まないことではなく望むことを語るようにしているうちに、より広くて賢い「内なる存在」の波動とだんだん周波数が合うようになる。物質世界で生きて経験を重ねながら「内なる存在」の「より広い視野」と波動を合わせられれば、それはなによりも素晴らしいことだ。そうなったら「より広い視野」と波動が調和して、「より広い視野」で世界を見ることができる。**自分の世界を「源（ソース）」の目で見る眺めほど、素晴らしいものはない。すべてが見通せるこの波動の見晴らし台に立てば、世界のなかでこれこそ最高と感じるものとだけ調和する――したがってそれを引き寄せる――プロセスが始まる。**

エイブラハムの波動を物質世界の言葉に翻訳しているエスターという女性は、ゆったりとリラックスして自分という「存在」の波動を意図的に高め、「見えない世界」のエイブラハムの波動と調和させることでこの仕事を行っている。エスターは長年この仕事をしてきたので、今ではごく自然にそれができる。彼女は自分の波動を整えてわたしたちの知識を物質世界のほかの友人たちにうまく伝えるのがどんなに素晴らしいことか、以前から理解していた。だが波動を整えることにはもう一つ素晴らしい利点があると気づいたのは、ある美しい春の朝、車で出かける夫のために歩いて門の扉を開けに行ったときだった。

門を開けて待っているとき、空を見上げたエスターは、空が今まで見たことがないほど美しいことに気づいた。豊かな色彩、輝く青空と驚くほど白い雲のコントラストに彼女は驚嘆した。姿は見えないけれど、どこか遠くで小鳥がきれいな声でさえずっている。その美しいさえずりにエスターは身震いするほど感動した。まるですぐ頭上で、あるいは肩に止まってさえずっているかと思うほどだった。さらに木や花や大地からさまざまな芳香が流れ出て風に乗り、自分を包んでいることに気づいた。エスターはこの愛する美しい世界で生きている喜びと幸せをしみじみと感じた。そして声に出した。「この宇宙のどこを探しても、今この瞬間ほど美しいひとときは決してないでしょう！」

それからエスターは言った。「エイブラハム、あなたたちでしょう、そうですね？」わたしたちは彼女の唇を貸りてにっこりほほ笑んだ。わたしたちが彼女の目を通して見ていること、彼女の耳を通して聞いていること、彼女の鼻を通して香りを嗅いでいること、彼女の肌を通して感じていることに、彼女が気づいたからだ。

「そうだよ」とわたしたちは言った。「わたしたちはあなたの物質世界の素晴らしさを、あなたの物質的な身体を通して楽しんでいるんだ」

あなたが人生で最高だと感じる瞬間、それはあなたのなかの「源（ソース）」と完璧に調和している瞬間だ。あなたがあるアイデアに強く引かれて関心を向けているときも、完璧に調和している。実際、あなたが明るくていい気分になればなるほど、あなたはあなたの「源（ソース）」と——「本当のあなた」と——調和している。

この「より広い視野」と調和すれば、人生で望む大きなことを——素晴らしい人間関係、満足できるキャリア、本当にしたいことができる余裕などを――早く達成できるだけでなく、日々がさらに素晴らしいものになる。「内なる存在」の視野と自分を一致させれば、あなたの日々は明晰さと満足と愛にあふれる素晴らしい瞬間で満たされる。もともとあなたはこの素晴らしい場所で、この素晴らしい時間を、この素晴らしい身体で、素晴らしく生きようとして生まれてきたのだ。

明るくていい気分になることを選ぶ

エスターがエイブラハムの視野を自分のなかで全面的に生かし、素晴らしい体験ができたのは、その朝起きたときから、明るくていい気分になる理由を見つけようと心がけていたからだ。まずベッドに横たわったまま、明るくていい気分になることを探した。そのあとは明るくていい気分がさらにいい気分を、さらにまた別のいい気分を引き寄せ、門のところへ行くころには(2時間ぐらいたっていた)、意図的に思考を選択したおかげでエスターの波動の周波数は「内なる存在」の波動と非常に近くなっていて、「内なる存在」との交流が簡単に実現した。

今あなたが選んだ思考が次の思考を、さらにその思考を……さらにその次を……引き寄せるだけでなく、思考は同時に「内なる存在」との調和のベースになる。望まないことではなくて望むことをいつも意図的に考え、語るようにしていれば、あなた自身の「源（ソース）」の純粋で前向きなエッセンスと調和できる。そのとき、あなたの人生はとても楽しいものになるはずだ。

ネガティブな感情が病気の原因か？

門のところでエスターが劇的な素晴らしい経験をしたのは、彼女が「源（ソース）」と、したがって絶対的な「よいあり方（ウェル・ビーイング）」と波動を調和させていたからだった。だが、自分の「源（ソース）」および「よいあり方（ウェル・ビーイング）」と波動がずれて、まったく逆の劇的な経験をすることもあり得る。言い換えれば、病気や不幸はあなたの波動が「よいあり方（ウェル・ビーイング）」とずれてしまったときに起こる。

「ネガティブな感情」（不安、疑い、いら立ち、孤独など）を経験するのは、「内なる存在」の波動と調和しない波動の思考をしているからだ。人生経験のすべてを通じて――物質世界でも見えない世界でも――「内なる存在」、「トータルなあなた」は、「知っている」という進化した立場に達している。だから「内なる存在」が知っていることと調和しない思考にあなたが焦点を定めると、ネガティブな感情が生まれる。

座りっぱなしで血行が悪くなると、あるいは止血帯を首に巻いて酸素の流れを制限すると、あなたはすぐにその影響を感じる。同じように「内なる存在」の思考と調和しない思考を抱くと、物質世界の身体のなかの「生命力の流れ」「エネルギー」が滞って制限され、その結果ネガティブな気分を感じる。**そのネガティブな感情を長い間そのままにしておくと、物質世界の身体は壊れていく。**

思い出してほしい。すべての物事は実は二つの事柄だ。望むことと、望むことが満たされていないことである。これは棒の両端のようなものだ。一方の端はあなたが望むことで、もう一方の端は望むことが満たされていない状態だ。だから「身体的な幸福」という棒の一方の端は「元気」で、もう一方の端は「病気」である。しかし「身体的な幸福」という棒のネガティブなほうを見たからといって、すぐに「病気」になるわけではなく、たくさんの棒の「望んでいないと知っているほうの端」を何度も何度も見ていると病気になる。

望んでいないことに慢性的に関心を向けていると――「内なる存在」はいつも望むことに関心を向けている――やがてあなたとあなたの「内なる存在」の波動が分離してばらばらになる。それが病気だ。病気はあなたとあなたの「内なる存在」が（あなたの思考の選択によって）分離したしるしなのだ。

嫌な気分から明るくていい気分への転換

誰でも明るくていい気分でいたいと思うが、ほとんどの人は周りのすべてが楽しくなければ明るくていい気分にはなれないと信じている。事実、たいていの人の気分は、そのときに目に見えるもので決まっている。楽しいことを見ていればいい気分だが、目の前にあることが楽しくなければ気分が悪い。ほとんどの人がいつもいい気分でいられないのは、周りの条件が変化しなければ明るくていい気分になれないと信じ、でも自分には条件を変化させる力がないと思っているからだ。

だが、どんな物事も実は——望むことと、望みが満たされていないということの——二つの事柄だと理解できれば、そのときに関心があるどんなことについても、肯定的な側面を見られるようになる。**実は「転換のプロセス」とはそれだけのことだ。関心を向けているのがなんであっても、意図的に肯定的な側面を——もっと明るくていい気分になれる見方を——探すことである。**

望まない状況に直面して嫌な気分になっているとき、意識して「自分が何を望まないかはよくわかる。それでは望んでいることはなんだろう？」と問いかけてみる。あなたという「存在」の波動は、何に焦点を定めているかで影響されるから、これで波動が少し変わり、それによって引き寄せの作用点も変化する。すると、あなたが自分の人生について語るストーリーが変化し始める。「いつもお金が足りない」と言う代わりに、「もっとお金があったら楽しいだろうな」と思う。これは全然違ったストーリー——全然違った波動であり、全然違った感情で、それがやがては全然違った結果をもたらす。

変化のなかで全体を見通せる地点に立ち、「わたしが望んでいるのはなんだろう?」と問い続けていると、やがてはとても楽しい場所にいることに気づくだろう。自分が望んでいるのは何かと問い続けているのに、引き寄せの作用点が変化しないわけがないからだ。変化は漸進的だろうが、このプロセスを続けていけばほんの数日で素晴らしい結果が生まれる。

自分の願望と調和しているか?

「転換のプロセス」は単純だ。ネガティブな気分でいると気づいたら(その感情は自分が望んでいる何かと調和していないから起こる)、立ち止まって自分に問いかければいい。「今、ネガティブな気分でいるのは自分が望むことと調和していないからだ。それでは自分は何を望んでいるのだろう?」

ネガティブな気分は、そのとき自分が何を望んでいるかをはっきりさせるとてもいいチャンスだ。自分が望んでいないことを経験しているときほど、望むことが明確になることはないからだ。だから立ち止まって、こう言ってみる。「さあ、何か大切なことがあるはずだ。そうでなければ、こんなネガティブな気分になるはずはない。わたしは何を望んでいるのだろう?」それから自分が望むことに関心を向ければ、それでいい。望むことに関心が向いたとたん、ネガティブな引き寄せは止まる。そしてネガティブな引き寄せが止まったとたん、ポジティブな引き寄せが始まる。さらに――その瞬間に――嫌な気分から明るくていい気分へと変化する。これが「転換のプロセス」である。

わたしは何を望むのか？　なぜ望むのか？

自分の人生について違ったストーリーを語ろうとするとき、いちばん大きな障害は、自分の状況について常に「真実」を語るべきだとか「ありのまま」を語るべきだと人々が信じていることだろう。だが「引き寄せの法則」は「今の状況」について語っているあなたに作用する――したがってあなたが語っているストーリーがますます続く――ことを理解すれば、本当は違ったストーリーを語るほうが、もっと自分が生きたいと思う人生に近いストーリーを語るほうが、ずっと自分のためだと気づくだろう。自分が望まないことをはっきりさせ、それから「それでは自分が望むのはなんだろう？」と自問すると、新しいストーリーを語るほうへ、そしてもっといい引き寄せの作用点へと徐々に移動していける。

自分が考えることのエッセンスが――望むことでも望まないことでも――起こるのだと覚えていると、とても役に立つ。なぜなら「引き寄せの法則」はいつも少しの狂いもなく一貫しているからだ。したがって、いつだって「今の状態」を語るだけでは済まない。「今の状態」を語っているつもりで、同時に将来の経験を語っていることになる。

ときどき「転換のプロセス」を誤解する人がいる。「転換」とは何か望まないことを見つめ、それが望むことだと自分に言い聞かせることだと思ってしまうのだ。そういう人たちは、「明らかに間違っていると思うことを見つめて、それが正しいと言いなさい」とか、「自分をだまして、望まないことを受け入れなさい」とわたしたちが要求していると考える。だが、自分をだまして、明るくていい気分になることはあり得ない。どう感じるかは常に自分が選んだ思考で決まるし、感じ方は自分ではどうしようもないからだ。

人生のプロセスで周りに望まないことがあるのに気づき、それによって自分が望むことをはっきり意識できる。これは本当は素晴らしいことだ。そして自分の気分を重視して大事にしていると、「転換のプロセス」を活用して、望まない面ではなくて望む面に関心を向けることも簡単にできるようになる。そうすれば、改善され向上したあなたの思考に「引き寄せの法則」が働き、望まない面はだんだん消えて、望むほうへと人生経験が変化していくのに気づくだろう。

意識的に「転換のプロセス」を活用することは、自分の思考を意図的に選択することであり、意図的に波動の引き寄せの作用点を選ぶことであり、自分の人生がどう展開するかを意図的に選択することでもある。「転換」は、自分の人生経験を自分で方向づけることを目指して、意図的に自分の関心の焦点を定めるプロセスなのだ。

今すぐ明るくて前向きな気分になれる

人はよく、人生で明るくて前向きなことが起こっていれば、そこに焦点を定めるのも簡単なのに、と愚痴をこぼす。確かに何かいいことが起こっていれば、明るくていい気分になるのもずっと簡単だろう。いいことに目を向けているほうが、簡単に明るくていい気分になれる。それはわたしたちも否定しない。だが、起こっていることにしか焦点を定められないと思っているなら、そして起こっていることが楽しくないなら、一生待っていても明るくていい気分にはなれないだろう。望まないことに関心を向けているために、望むことが妨げられるからだ。

明るくていい気分になるのに、いいことが起こるのを待つ必要はない。現在の経験がどうであれ、もっといいことに自分の思考を向ける能力をあなたは持っている。そして自分の気分を大事にして、明るくていい気分になる思考へ関心を転換すれば、すぐに前向きな変化を起こすことができる。

あなたが経験する物事は、あなたの波動に反応して引き寄せられてくる。あなたの波動はあなたが抱く思考から出ているし、どんな思考を抱いているかは、どんな気分でいるかを見ればわかる。明るくていい気分になる思考を見つければ、必ず明るくていい気分になることが起こる。

多くの人たちはこんなふうに言う。「もっと違った状況なら、わたしだってもっと簡単に幸福になれるだろうに。人間関係がもっとよければ、配偶者がもっと優しければ、身体に痛みがなければ、もっと違った身体だったら、もっと満足が感じられる仕事なら、もっとお金があれば……つまり、人生の状況がもっとよければ、わたしだってもっと明るくていい気分になるし、そうすれば前向きに考えるのだってもっと簡単だろうに」

楽しいことを見ていれば明るくていい気分だし、楽しいことがあれば簡単に明るくていい気分になれる。それは当たり前だ。だが、みんなで協力して楽しいことだけを自分に見せてくれ、と周りの人たちに要求することはできない。自分にとって完璧な環境を作ってくれと他人に求めるのは、いろいろな意味でいい考えではない。①あなたの巣を整えるのは周りの人たちの責任ではない、②あなたが自分で創っている状況を、他人はコントロールすることができない、③なによりも、それではあなたは自分の経験を創造する力を投げ捨てることになる。

どんなことに関心が向いているときでも、明るくていい気分になる側面を探そうと決意すること、あるいは明るくていい気分になることにだけ関心を向けること——そうすれば人生のいい面がどんどん増えていく。

望まないことに関心を向けると、望まないことが増える

楽しいことがあれば、もう一方に必ず楽しくないことがある。望むことという宇宙のどんな粒子にも、「望むことが欠けている」という面があるからだ。望まない面を押しのけようとしてそちらに焦点を定めていると、望まない面がますます引き寄せられてくる。なぜなら、望むものでも望まないものでも、関心を向けたものが引き寄せられてくるのだから。

あなたがたが住む宇宙は「加えること」を基本に成り立っている。言い換えれば、この「加えることがベースの」宇宙には「排除」はない。何か望ましいものを見て「イエス」と言えば、それは「そう、これはわたしが望むものだ、どうか寄ってきてほしい」と言うのと同じだ。そして何か望まないものを見て「ノー」と言っても、それは「わたしが望まないものよ！　寄ってきなさい」と言うのと同じなのだ。

あなたがたの周りにあるもののすべてのなかに、望むことと望まないことがある。望むことに焦点を定めるのはあなたがただ。環境はたくさんの選択肢があるブッフェのようなものだと考え、もっと意図的に思考を選びなさい。明るくていい気分になる選択をしようと努力し、人生や人々や経験について違ったストーリーを語ろうと努力すれば、

あなたは以前よりももっと改善されたよいストーリーを語るようになり、人生経験はそのストーリーのエッセンスの細部に一致する方向へと変化していくだろう。

望むことに焦点を定めているのか？　望まないことに焦点を定めているのか？

自分では望むことに焦点を定めているつもりで、実は逆だということがある。言葉が前向きだからといって、あるいはそれを口にするときにほほ笑んでいるからといって、棒の前向きの端に波動が合っているとは限らない。その言葉を口にしているときに自分がどんな気分でいるかに気づくことによってのみ、望まないことではなくて望むことに合った波動を出しているかどうかがわかる。

問題ではなく、解決に焦点を定める

テレビの天気予報が「深刻な日照り」を告げているさなか、わたしたちの友人エスターはテキサス・ヒル・カントリーにある自宅の道を歩いていて、草が乾いているのに気づいた。美しい木々や植物が水不足で弱っているのを見て、これからどうなるのか心配になったのだ。数時間前に水をいっぱいにしたはずの小鳥の水浴び場が空になっているのが目に入ったときには、きっとのどが渇いたシカがフェンスを飛び越えてわずかな水を飲みに来たのだろうと思った。事態の深刻さに気づいたエスターはそこで立ち止まり、天を仰いで、明るい声でポジティブに聞こえる言葉を発した。「エイブラハム、雨が欲しいわ」と。

わたしたちはすぐに問い返した。「欠乏という場所から雨を得られると思うかい？」

「わたし、何か間違っていたかしら？」エスターが聞いた。

わたしたちも聞いた。「どうして雨が欲しいのかな？」

エスターは答えた。「雨が欲しいのは、雨が降れば大地が生き返るから。雨が降れば林のなかにいる生き物たちが好きなだけ水が飲めるから。雨が降れば草の緑がよみがえり、わたしの肌もホッとして、みんなが明るくていい気分になれるからよ」

わたしたちは言った。「そうそう、あなたは今、雨を引き寄せているよ」

「どうして雨が欲しいのか？」というわたしたちの質問は、問題ではなく解決のほうへエスターの関心を向けさせるのに役立った。何かを「どうして」望むのかと考えると、波動は望ましい方向へ移動する、というか「転換」する。どうすれば実現するのか、いつ誰が実現してくれるのかと考えると、波動はたいてい問題のほうへ戻ってしまう。

エスターが——なぜ雨を望むのかと尋ねられて——困ったことから望ましいことへ関心を移したとき、彼女は「転換」した。自分が何を望むかを考えただけでなく、なぜ望むのかと考え始め、そのプロセスで明るくていい気分になった。その日の午後、な雨が降った。そしてその晩、地域の天気予報は「ヒル・カントリーを中心に、珍しい雷雨がありました」と報じた。

思考は強力で、ほとんどの人が思っている以上に自分の経験をコントロールすることができる。

望むのは明るくて前向きな気分になること

ある若い父親は、幼い息子が毎晩おねしょをするので困り果てていた。毎朝ベッドや寝巻きが濡れているのを見てうんざりしイライラするだけでなく、こんなことがいつまでも続いたら子どもの精神面にどんな影響が出るかということも心配だった。正直言って、息子がいつまでもおねしょをするのが恥ずかしくもあった。「もう大きいのに」と父親はわたしたちに嘆いた。

わたしたちは尋ねた。「朝、子ども部屋に行くと、どうなりますか?」

「そうですね。部屋に入るとすぐ、またおねしょしたな、と匂(にお)いでわかります」父親は答えた。

「そのとき、どんな気分がしますか?」

「お手上げだ、腹が立つ、イライラする。こんなことがいつまで続くんだ、どうしていいかわからない」

「息子さんにはなんと言いますか？」

「さっさと濡れた寝巻きを脱いでバスタブに入りなさい、と言います。もう大きいのに、こんなこと、前にもさんざん言われただろう、って」

わたしたちは父親に、実はあなたがおねしょを長引かせていると言って、こう説明した。「あなたの気分が状況に支配されているときには、自分が影響を与えて状況を変えることはできない。だがその状況のなかでどう感じるかを自分でコントロールできれば、影響を与えて状況を変えることができる」例えば、息子さんの部屋に入って望ましくないことが起こったと気づく。望まないことが起こったと認識したら、そこで立ち止まって自分が望むのはなんだろうと問いかけ、さらにどうしてそれを望むのかと自問して、気持ちを転換する。そうすればすぐに明るくていい気分になるだけでなく、まもなく前向きの影響力が働いた結果を目にするだろう。

「あなたは何を望んでいるのですか？」わたしたちは聞いた。

父親は答えた。「息子がおねしょせずに楽しく目覚めること、おねしょして恥ずかしいと思うのでなく、おねしょしなかったとプライドを持つことです」

この父親は望むことに焦点を定め、そのプロセスで自分の願望との調和を取り戻して気分が楽になった。わたしたちは言った。「あなたがそんなふうに考えれば、望まないことではなく望むこととの調和があなたからにじみ出る。そうすればあなたは息子さんにもっと前向きの影響力を与えることができます。そのときは、こんなふうに言うでしょう。『ああ、これも成長過程の一つだ。みんなが通ってきた道だし、おまえはどんどん成長しているものね。さあ濡れた寝巻きを脱いでバスタブにお入り』と」まもなくこの若い父親は、おねしょが止まったとうれしそうに報告してくれた。

嫌な気分のときは、望まないことを引き寄せている

誰でも自分がどんなふうに感じているかはある程度までわかっているが、気分や感情が提供している大切な導きを理解している人はごく少ない。ごく簡単に言えばこうなる。「嫌な気分のときは、うれしくないものを引き寄せている。ネガティブな感情になるときには必ず、望まないことか望むものが欠けていることに焦点を定めている」

多くの人たちはネガティブな感情を望ましくないものだと思うが、それよりも自分がどちらの方向に焦点を定めているかを知るための大切な導きだと思ってほしい。この導きによってわたしたちは波動の方向を、どちらの方向から願望を引き寄せているかを知ることができるのだ。これは「転換しなさい」と知らせる信号だから、「警告のベル」とよんでもいいが、わたしたちはむしろ「導きのベル」とよびたい。

あなたの感情は「ナビゲーションシステム」で、一つひとつの思考によって何を創造しているかを理解するのに役立つ。思考の力を理解し、明るくていい気分になるこ

とに焦点を定めることが重要だとわかってくると、人はよく自分のネガティブな感情に気づいて戸惑ったり、さらには腹を立てたりする。だが、「ナビゲーションシステム」が完璧に機能しているからといって腹を立てることはない。

自分がネガティブな気分になっているとわかったら、その導きに気づいてよかったと思えばいい。そのあと明るくていい気分になる思考を選ぶことで、少しずつ気分を改善していくのだ。これは、少しずつ明るくていい気分になる思考を選ぶという、とても微妙な「転換のプロセス」である。

ネガティブな気分になったら、自分にこう言うといい。「わたしはネガティブな感情になっている。これは望まないことを引き寄せているしるしだ。それではわたしが望むことはなんだろう？」

たいていは「明るくていい気分になりたい」と気づいただけで、明るくていい気分になる思考に転換するのに役立つ。だが「明るくていい気分になりたい」と「嫌な気分になりたくない」の違いを理解することが大切だ。同じことを違う言い方で表現しているだけだと考える人もいるが、実際にはこれらの言葉はまったく対照的で、波動にも大きな違いがある。**明るくていい気分になる思考を探し続けることによって思考を方向づけると、明るくていい気分になる素晴らしい人生の創造に役立つ思考パターン、信念が展開していく。**

思考はもっと強力な思考とつながる

あなたがどんな思考に焦点を定めているにしても――過去の記憶か、今見ている現在か、予想している将来か――その思考はたった今あなたのなかで活性化して似たような思考やアイデアを引き寄せている。思考がそれと似た思考を引き寄せるだけでなく、そこに焦点を定め続けていると集まった思考はどんどん強くなり、引き寄せの力もどんどん大きくなる。

わたしたちの友人のジェリーは、あるとき大きな船が波止場に係留されるのを見ていて、このことに気づいた。船は非常に太いロープでつなぐのだが、そのロープは太くて重くて、船から岸に投げることはできなかった。そこでまず細いひもが岸に投げられた。そのひもには少し太いロープがつながっていて、そのロープがさらにもう少し太いロープにつながり、それがまた……という具合に、最後には非常に太いロープがやすやすと岸に届き、大きな船は無事に係留された。あなたの思考が別の思考につながり、それがさらに別の思考につながって、という具合につながっていくのも、これと同じだ。

事柄によっては長いネガティブなロープを引っ張り続けてきたので、ついついネガティブな面にそれてしまうことがある。言い換えれば、誰かにちょっとネガティブなことを言われたとか、何かを思い出したなどのほんのちょっとしたきっかけで、たちまちネガティブ思考に落ち込んでしまうのだ。

あなたの引き寄せの作用点は、日々考えている思考に支配されている。そして、あなたはその思考をポジティブにもネガティブにも方向づける力を持っている。例えば食料品店に買い物に行って、いつも買っている品物が大幅に値上がりしているのに気づき、強い不安と戸惑いを感じる。あなたは突然の値上げにショックを受け、食料品の価格はどうすることもできないから不安と戸惑いを感じるしかない、と思うかもしれない。しかし、わたしたちが指摘したいのは、あなたが不安と戸惑いを感じたのは食料品価格が上がったせいではなく、あなた自身の思考のせいだということだ。

次々につながれるロープと同じで、あなたの思考はあっという間に別の思考につながれていき、波動が強力になる。例えば、こんなふうに。「おや、この値段は先週よりずいぶん上がっている……こんなに大幅に値上げするなんて不当じゃないか……まったく商売人の貪欲さときたら……世の中は大変なことになっている……これからどうなるのか見当もつかない……こんな調子ではどうすればいいかわからない……経済がおかしくなっている……こんなに値上がりしたんではやっていけない……やりくりにどんなに苦労しているか……いくら一生懸命に働いたって、生活費の上昇には追いつかないじゃないか」

もちろんこのネガティブな一連の思考は、いろいろな方向——食料品店や経済や政府への非難など——に向かう可能性があるが、たいていは自分にネガティブな影響があると感じるところへ戻ってくる。目にするすべては自分個人のこととして感じられる。実際すべては自分にかかわっている。なぜなら、あなたがそれに関する波動を出しているのだし、あなたがどんな考えを選択し、その考えが何を引き寄せるかは、波動によって決まるのだから。

あなたが自分の感じ方に気づいて、その感じ方が思考の方向を教えていることを理解すれば、意図的な思考の方向づけができる。例えば、こんなふうに。「おや、この値段は先週よりずいぶん上がっている……でもカゴに入れたほかの品物は上がっていなかったようだ……ほかの値段は変わらないんじゃないかな……それどころか安くなったものだってあるかもしれない……あまり気にしていなかったし……この価格が気になったのはかなり上がっていたからだ……値段は変動する……でもいつだってやりくりはできる……値上がりするものもあるけれど、でもなんとかなる……こんなにいろんな品物が手に入るなんて、流通システムが整っているおかげだ……」

明るくていい気分になることを重視しようと決めれば、明るくていい気分になる思考を選択し続けるのはわりあいに簡単だと気づくだろう。

明るくていい気分になりたいという思いがしっかり根づくと、明るくていい気分に

なる思考のインスピレーションが働くようになり、生産的な方向へ思考を向けることはますます容易になっていく。あなたの思考には巨大な創造力と引き寄せの力がある。いつも明るくていい気分になる思考を差し出し続ければ、その力をたくみに活用することができる。望むことと望まないこと、いいことと悪いこと、プラスとマイナスの間をいつも行ったり来たりしていたのでは、純粋でポジティブな思考が持つ推進力を活用できない。

肯定的な側面の本

ジェリーとエスターがわたしたちといっしょに仕事を始めた最初の年、二人はテキサスの自宅から300マイル（約480キロメートル）以内にあるいろいろな街の小さなホテルの会議室を使って、人々が安心してわたしたちと個人的な問題を話し合えるセッションを開いていた。そのなかにオースティンのホテルもあったが、ここはエスターが予約し、契約書にサインし、数日前に確認の電話を入れても、セッションがあるのをしょっちゅう忘れた。それでもホテルは（到着した二人を見てびっくりしても）いつも会場を提供してくれたが、ジェリーとエスターにとっては、参加者が来る前に急いで会場を準備してくださいとスタッフをせきたてるのは嫌なものだった。

ついにエスターが言った。「どこか別のホテルを探さなくちゃね」

わたしたちは言った。「それもいいかもしれない。だが忘れないように。あなたが自身はいつもついてまわるよ」

「それ、どういう意味ですか？」エスターはちょっと心外らしかった。

わたしたちは説明した。**「あなたが欠乏という視点から行動するなら、その行動はきっと非生産的なものになる。**それどころか、たぶん新しいホテルも前のと同じだってことになるだろう」ジェリーとエスターはこれを聞いて笑い出した。既に同じ理由でホテルを変えたことがあったからだ。

「それではどうしたらいい？」二人は聞いた。わたしたちは、新しいノートを買って表紙に「肯定的な側面の本」と書き、1ページ目に「オースティンの○○ホテルの肯定的な側面」と書きなさい、と助言した。

そこでエスターは書き始めた。「設備がきれい。清潔。場所がいい。高速道路に近くてわかりやすい。いろいろな大きさの部屋があって、参加者の人数に合わせて使える。ホテルのスタッフはいつも感じがいい……」

こうして書いているうちに、エスターがホテルに抱いていた気分はネガティブなものからポジティブなものへと変化し、気分がよくなったとたんに、ホテルから彼女が引き寄せるものも変化した。

エスターは「いつも準備を整えて待っていてくれる」とは書かなかった。そんな経験はしたことがなかったからで、そんなふうに書いたら矛盾した感情か抵抗する気分、自分を正当化したい気分がわいてきただろう。明るくていい気分になりたいと考えて、ホテルの感じのいいところに意図して関心を向けたために、ホテルについてのエスターの引き寄せの作用点が変化した。その結果とても興味深いことが起こった。ホテルはもう二人の予約を忘れなくなった。エスターは、ホテルが予約を忘れたのは仕事に不熱心だからでもいい加減だからでもなかった、と気づいた。そうではなくて、スタッフたちはエスターのホテルに対する支配的な思考に影響されていただけなのだ。要するにスタッフたちはエスターのネガティブな思考に逆らいきれなかったのである。

エスターは「肯定的な側面の本」を書くのが楽しみになり、いろんな事柄について書き込んだ。わたしたちは、もっと明るくていい気分になりたい事柄だけでなく、既に明るくていい気分になっていることについても書いたほうがいいと勧めた。そうすれば明るくていい気分になる思考が習慣化し、明るくていい気分になる思考を楽しむことができる。これはすてきな生き方だ。

「引き寄せの法則」で思考の力が大きくなる

望まない状況を経験すると、たぶん自分を正当化しようと思うのだろうが、どうしてそんなことになったのか説明しなければならない気になる。**だが、言い訳したり、正当化したり、合理化したり、誰かあるいは何かを責めたくなる間は、ネガティブな引き寄せの状態にとどまる。**どうして思うとおりにならなかったのかを説明する言葉は、すべてネガティブな引き寄せを持続させる。どうして望まないことを経験したのかを説明している間は、望むことに焦点を定められない。**ネガティブな面とポジティブな面に一度に焦点を定めることは不可能なのだ。**

また、どこからトラブルが始まったかを見きわめようとして次のような質問をしても、ネガティブな引き寄せを持続させるだけだ。「このトラブルの原因はなんなのか？」「こんな望まない状況になった理由はなんなのか？」もっといい経験をしたいと思うのは自然だし、だから解決策を求めるのも当然だ。だが、まじめに解決策を求めることと、問題を強調して解決策の必要性を正当化しようとすることは、まったく別の話である。

何かが自分の望むとおりになっていないと気づくのは大切だ。だが、それがわかったら、早く解決策のほうへ関心を向けたほうがいい。問題をしつこく探っていたのでは、解決策の発見が妨げられる。問題の波動と解決策の波動とでは周波数が違うのだ。「転換のプロセス」の価値に気づいて、何を望まないかを上手に見分けられるようになったら、あとは何を望むかというほうへすぐに関心を転換すれば、自分が基本的に素晴らしいことにばかり囲まれていることがわかるだろう。世の中ではうまくいかないことよりもうまくいくことのほうがずっと多い。それに毎日「肯定的な側面の本」を活用していると、さらにポジティブ志向になる。そして思考のバランスはだんだん自分が望む方向に傾いていく。

明るくていい気分になる思考を見つけようと心がけて、関心の焦点を定めていると、望むことを考えるのと望むことが欠けていることを考えるのとでは、どんなに大きな違いがあるかもわかってくる。こうしたい、ああなったらいいなと——金銭的な状況や人間関係、健康状態などで——言ったり考えたりしながら、落ち着かない嫌な気分になるとしたら、その瞬間あなたは状況の改善方法を見つけることを自分で妨げている。

「転換のプロセス」と「肯定的な側面の本」は、どちらも——創造のごく早い微妙な段階で——自分がネガティブなひもの端を引っ張っていることを気づかせてくれる。そのときには直ちにそのひもを手放して、ポジティブな思考のひもをつかむことだ。

気分が少しでも明るくよくなる思考へ、さらにもう少し明るくなる思考へとだんだんに移行していくほうが、素晴らしい気分になる思考へと一気に飛躍するよりもやさしい。なぜなら、すべての思考（あるいは波動）は「引き寄せの法則」に影響されている（律せられている）からだ。

明るくて気分のいい思考で一日を始める

全然望まないことに思考の焦点を定めているときには、もっとポジティブな見方に移るよりも望まないことをそのまま考え続けるほうが簡単だ（それどころか、その思考を裏づける証拠まで見つかったりする）。**思考はそれに似た思考を引き寄せる。**だから、ネガティブな望まない事柄から自分が望むポジティブで楽しい事柄にいきなり飛躍しようとしても難しいだろう。二つの思考の波動が違いすぎるのだ。自分の波動を改善しようと思ったら、いちばんいい方法は望む事柄のほうへ徐々に穏やかに、しかし確実に移行していくことだ。

何時間か（望まない事柄の波動から離れて）眠って朝目覚めたとき、あなたの波動は最もポジティブな状態にある。そこでベッドのなかで人生の肯定的な側面を探してから起き上がれば、一日を肯定的な流れで始めることができるし、明るい気分のいい思考に「引き寄せの法則」が働くから、明るく元気に一日のスタートを切ることができる。

言い換えれば、朝はその日の思考の流れを左右する新しい波動のベース（設定値）を作るチャンスなのだ。一日のどこかでそのスタートからずれる出来事があるかもしれないが、いずれは自分の思考、波動、引き寄せの作用点を――そして人生を！――完璧にコントロールできている、と気づくだろう。

睡眠はエネルギーの再調整タイム

眠っている間は――身体が意識的に思考の焦点を定めていないので――身体は何も引き寄せない。眠っている時間に「内なる存在」があなたの「エネルギー」を再調整し、身体をリフレッシュして不足分を補充する。「今夜はゆっくり休もう。眠っている間はこの身体の引き寄せが停止し、明日目が覚めるときには再び物質世界の経験へと文字どおり生まれ直すのだ」と思って眠りにつけば、睡眠を最高に生かすことができる。

朝目覚めるのはこの世に生まれ出るのとあまり変わらない。この物質世界の身体として最初に生まれ出た日と同じようなものだ。だから朝、目を開いたら、こう言ってみよう。「今日は明るくていい気分になることを探そう。明るくていい気分になる以上に大切なことは何もない。『宇宙』の肯定的な側面と共鳴できるくらい波動を高める思考、そういう思考を次々と引き寄せる思考を選ぶ以上に大切なことは何もない」

あなたの波動は眠りにつく前のままだ。だから眠る前に心配なことを考えていたら、朝起きたときの思考と波動は前夜と同じで、その日の思考は否定的なところからスタートする。そこに「引き寄せの法則」が働くから、似たような思考が引き寄せられてくる。だが、眠る前に努力して人生の肯定的な側面に目を向け、眠っている間は引き寄せを停止してリフレッシュすることを思い出して意図的に思考を方向づけておき、朝、目が覚めたときに「今日は明るくていい気分になることを探そう……」と考えれば、思考も人生もコントロールできるようになる。

世界の問題を心配してくよくよしたり、今日しなければならないことを考えたりするよりも、ベッドに横たわったまま、その瞬間の肯定的な側面を探せばいい。「このベッドはなんて気分がいいんだろう。寝具もとても心地いい。身体もゆっくり休んで元気いっぱいだ。この枕も寝心地がとてもいいな。それから空気のおいしいこと。生きているってなんて素晴らしいんだろう！」あなたはもう明るく前向きな気分のロープを引き寄せ始めている。

「引き寄せの法則」はなんでも拡大する巨大な虫眼鏡のようなものだ。だから、目を覚まして明るくていい気分になる（ごく身近な）ことを探せば、「引き寄せの法則」が働いて似たような明るくて気分のいい思考が引き寄せられ、さらにまた似たような思考が引き寄せられてくる。これこそが正しい目覚め方というものだ。

少しの努力と明るくていい気分になりたいという決意があれば、思考をどんどん楽しいシナリオのほうへ向けることができるし、やがては思考の習慣も引き寄せの作用点も変化する。そしてすぐに思考の改善の結果が具体的な経験となって現れ始めるだろう。

ポジティブな眠り方

行動中心の人生を送っていると、何かを実現するには大変な努力がいると信じてしまう。だが、思考を意図的に方向づけることを学べば、思考にはとてつもなく大きな「てこ」の作用とパワーがあることがわかるだろう。望むことだけではなく望まないことも考えると思考のパワーを薄めてしまうが、望むことにだけ思考の焦点を定めておけば、わたしたちが何を言おうとしているのか、経験を通じて理解できるはずだ。行動中心の人生では、だいたい必死にがんばって必死に働くことになる。その結果あなたがたの多くは望むほうへ関心を向けるよりも、望まないほうへ（あるいはなんとか改善したいと思うほうへ）関心を向けてしまう。

「肯定的な側面に目を向けるプロセス」を応用するよい方法がある。ベッドに入ったらその日あったなかでいちばん楽しいことを思い出すのだ。もちろんいろいろなことがあっただろうから、少し考えなくてはならないだろうし、あんまり楽しくなかったことも思い出すかもしれない。それでも楽しいことを探して、見つかったらそれについてしばらく考えていよう。

こんなふうに言ってみるのも呼び水になる。「よかったなあと思うことは……いちばんうれしかったことは……」それからポジティブな糸口が見つかったら、それをたどって一日でいちばん楽しかったことを考え、ポジティブな思考の影響が感じられたところで、今のいちばん大きな意図に焦点を定める。「さあ、ゆっくり眠って明日の朝はリフレッシュして目覚めよう」

自分にこう言ってみよう。「さあ、これから眠るぞ。眠っている間は思考が働かないから、引き寄せは停止し、身体のすみずみまで完全にリフレッシュできる」それから身の回りの、例えば寝具の心地よさ、枕の柔らかさなど、この瞬間の幸福に関心を向ける。そのうえで静かに自分の意図を差し出す。「さあ、眠ろう。そしてリフレッシュして、またポジティブで明るい引き寄せの作用点とともに目覚めよう」そんなふうにして眠りに就けばいい。

ポジティブな目覚め方

翌朝あなたは明るくて前向きな気分で目覚めるだろう。最初にこんなふうに考えるのではないか。「ああ目が覚めた。この物質世界にまた戻ってきた……」そこでしばらく心地よく横になったままで、こんなふうに考えてみよう。「今日はどこへ行くにしても、何をするにしても、また誰といっしょに行動するにしても、明るくていい気分になることだけを探そう。明るくていい気分でいると波動のパワーが高まる。明るくていい気分でいると明るくて気分のいいことと調和する。明るくていい気分でいると、楽しいと感じることだけが引き寄せられてくる。そして明るくていい気分でいると――明るくて気分がいい！」（引き寄せられてくるのはそのときの気分に似合ったことだけだとすれば、明るくていい気分でいるだけで素晴らしい。でも本当はもっともっといいことが引き寄せられてくる）。

2、3分（それで十分だ）ベッドに横たわって、周りの肯定的な側面を探すといい。それから一日を始めて、さらに肯定的な側面を見つけ出し、そのときの関心が何に向いていようと、明るくて気分のいい側面にだけ目を向ける。

ネガティブな感情が起こったらすぐに――たとえ明るくて気分のいいことだけを探そうと決めて一日を始めても、ネガティブな気分になることはあるだろう。どんな事柄にも多少はネガティブな勢いが働いているからだ――ネガティブになったと気づいた時点で立ち止まり、「明るくていい気分になりたい。今なんだかネガティブな気分になっているようだが、これは何か望まないことにピントを合わせているしるしだ。では、望むことはなんだろう？」と自分に問いかける。そして直ちに望むことに関心を向け、ポジティブなエネルギーが再び身体を流れ出すまで、新しい思考、ポジティブな思考に焦点を定めておく。

一日を過ごすなかで、笑えること、楽しいことをどんどん探そう。明るくていい気分になりたければ、物事を深刻に考えないことだ。物事を深刻に考えなければ、望むことが欠けているという面には気がつかないだろう。望むことが欠けているという面に気づかなければ、明るくていい気分でいられる。明るくていい気分でいれば、望むことがもっと引き寄せられてくる。そして人生はどんどんよくなる。

そうすれば夜ベッドに横たわって、その日に起こったたくさんの素晴らしいことを考えながら眠りに就くことができる。そして、明日はさらに明るくていい気分で目覚めるだろう。

どう感じたいのかは知っている

ときには不快な状況のただなかで、なんとか肯定的な側面を探そうと苦労するかもしれない。耐え難いこともあるし、影響が大きすぎて、ひどすぎて、ポジティブな面なんかまったく見つからないと思うこともあるだろう。だがそれは今ピントが合っているひどいことから、望む解決策へといきなり大きな飛躍をしようと思うせいだ。言い換えれば、今すぐに解決策となる行動を見いだそうとしても、今の状況ではどんな行動も適切とは思えないだろう。それより、この瞬間の行動に肯定的な側面が見つからなくても――どうすればいいのか、どうすれば明るくていい気分になれるのかわからないとしても――自分がどう感じたいのかはいつもわかっている、ということを覚えておくことだ。

例えばこんなふうに言うのと似ている。「今、飛行機から飛び降りたところで、パラシュートはない。どうすればいいだろう？」どんな行動も思考も今すぐに迫ってくる結果を変えることはできない、という状況がある。どんな行動も解決策にならないし、どんな思考も即座に状況を変えることはできない。

だが、一貫して気分のいいことを考えているとき、その思考には信じられないほどのパワーと「てこ」の作用があることを理解し、気分や感情が示してくれるナビゲーションを活用して明るくて気分のいいことに焦点を定めて意図的に思考を選んでいくと、いい経験でいっぱいの人生が簡単に実現する。**意図的に思考を選ぶことで、ほんの少しでもホッとして気分が明るくなれば、解決への穏やかな道が開けるのだ。**

ある状況で何をすればいいかはわかりにくいかもしれない。ときには自分が何を望んでいるのかさえはっきりわからないかもしれない。だが、どう感じたいのかを（ある程度まで）知ることができないような状況はあり得ない。言い換えれば、幸せを感じたいか悲しみを感じたいか、さわやかな気分でいたいか疲れた気分でいたいか、意欲満々でいたいか無気力でいたいかは、いつでもよくわかる。生産的な気分でいたいか非生産的な気分でいたいか、自由な気分でいたいか鬱屈した気分でいたいか、成長していると感じたいか停滞していると感じたいかもよくわかるはずだ。

いくら行動しても間違った思考の埋め合わせはできない。だが――思考の方向を意図的に選ぶことで――自分の感じ方をコントロールするようになれば、思考がどんなに強力な「てこ」の作用をするかがわかるだろう。**自分の思考を意図的にコントロールすれば、人生経験も意図的にコントロールできるようになる。**

明るくて前向きな気分でいるほど大切なことはない

何を考えるかを意図的に決めることはそう難しくない。あなたがたは食べる物や運転する車、身につける衣類にこだわる。意図的に思考しようとするのもそれと同じで、そうしたこだわり以上に大変なわけではない。だが、自分が最高の気分になれる側面に思考を向けることを学べば、食事や車やワードローブを選ぶよりはるかに素晴らしい人生が実現する。

この文章を読んで、そうだ、確かにそのとおりだ、と共鳴するものを感じたら、これからはネガティブな感情がわくたびに、これはもっと生産的で自分のためになる方向へ思考を導く大切な指標だと気づくだろう。言い換えれば、ネガティブな感情がわいたのに、今望まないものを引き寄せているとわからないままでいることはなくなる。自分の感情とそれが示す指標を意識すると、とても重要なことが起こる。なぜなら、自分のネガティブな感情が何を意味するかに気づかなくても、その瞬間ネガティブな引き寄せは起こっているからだ。だから、感情を理解すれば人生経験をコントロールできる。

どうも明るい気分じゃないなと感じたら、そこで立ち止まって、「明るくていい気分になる以上に重要なことは何もない。明るくていい気分になる理由を見つけたい」と自分に言えば、思考はいい方向へ向かうし、そうなればさらにいい思考へつながっていく。明るくていい気分になる思考を探す習慣がつけば、周りの環境も改善される。「引き寄せの法則」によって必ずそうなる。明るくていい気分でいれば、宇宙があなたに協力し、扉が開くのを感じる。嫌な気分でいれば宇宙は協力をやめ、ドアが閉じると感じるだろう。

ネガティブな感情がわくときは必ず自分が望む何かに抵抗しているし、その抵抗が悪影響を及ぼす。身体に悪影響を及ぼすことも、あなたが経験に引き寄せるはずの素晴らしいことに悪影響を及ぼすこともある。

人生を生きて望むことと望まないことに気づくなかで、あなたは一種の「波動の預託口座」を開設する。その口座には、あなたが望むこととあなたの波動がマッチして体験が実現可能になるまで、願望の対象が預けられている。しかし、望んでいることが実現する前に、それについて明るくていい気分になる方法を見つけなければ、それは閉じたドアの向こうにあるだけで、ドアは開かない。だが、考えていることの肯定的な側面を探せば——そして思考プロセスを占領しているさまざまな可能性のなかで、肯定的な側面を意図的に選べば――ドアは開いて、望むすべてが簡単に経験のなかに流れ込んでくる。

いったんよくなれば、どんどんよくなる

そのとき何に関心を向けていても、意図的に肯定的な側面を見ようと心がければ、あなたの波動はすべての肯定的な側面と同調するようになる。もちろんネガティブな側面と同調することも可能だ。多くの人は親や教師や仲間の言うままにネガティブな比較をしては自己批判モードになり、苦労している。自分自身にネガティブになるほど、ポジティブな引き寄せの能力を損なうことはない。

そこで、ネガティブな思考になりにくいテーマを選んで、よい波動に切り替えるといい。そして、明るくていい気分になったところで思考を自分自身に向ければ、自分のことでもいつもよりポジティブな面を見つけられるだろう。**周りの世界でポジティブな面を見つければ、自分自身についてもポジティブな面を見つけられる。そうやって一度切り替えれば、周りの世界でポジティブな面を見つけることはさらに簡単になる。**

自分について気に入らないところが見えたら、他人の同じところも目につく。「一度悪くなると、どんどん悪くなる」わけだ。だが、自分や他人のポジティブな面を意

図的に見つけるようにすると、いろんなことが「一度よくなると、どんどんよくなる」のがわかるだろう。

肯定的な側面を探して望むことに焦点を定めるのがどれほど重要か、いくら強調しても足りないくらいだ。あなたに起こることのすべてに、この単純な表現があてはまるのだから。「あなたは、考えていることを次から次へと引き寄せる——それが望むことでも望まないことでも」

宇宙ではポジティブとネガティブがバランスしている

そう、あなたは自分の経験を自分で創造している。**自分の経験は自分で引き寄せているといってもいい。**創造とは、何を望むかを明らかにして、それを追いかけて捕まえることではない。創造とは、望むことに焦点を定め——経験したいと思う事柄に思考を正確に同調させて——「引き寄せの法則」によってそれが引き寄せられてくるように仕向けることだ。

過去の何かを思い出しているときでも、将来の何かを想像しているときでも、あるいは目の前の何かを観察しているときでも、あなたは思考の波動を放出していて、それに「引き寄せの法則」が働く。この思考を願望とか信念とよんでもいいが（信念とは継続的な思考のことだから）、なんでも関心を向けたものがあなたの引き寄せの作用点になる。

すべての物事は実際には――望むことと望むことが欠けているということの――二つの事柄だから、自分ではポジティブな面にピントを合わせているつもりで、実はネガティブなほうにピントが合っていることもあり得る。「もっとお金が欲しい」と言っても、実際には必要なだけのお金がないという事実にピントを合わせていたりする。ほとんどの人は病気だと感じているときに、健康になりたいと口にするものだ。言い換えれば、望んでいないことへの関心がもとで、望むことを口にする。願望にピントを合わせているように見える言葉でも、実はそうではないことが多い。

何かを口にしているとき、自分がどう感じるかに意識的に気づくことによってのみ、ポジティブに引き寄せているかネガティブに引き寄せているかがわかる。そして何を引き寄せているか、すぐにはその徴候が見えなくても、思考は似たような思考、波動、エネルギーを寄せ集めている。そして、やがては何を引き寄せているかが明白になる。

宇宙はわたしの関心に反応する

ほとんどの人は、周りの人が行動するのと同じようなやり方で「宇宙」が言葉に反応してくれると信じている、というか信じたがっている。誰かに「イエス、こっちへいらっしゃい」と言ったら相手が来ると期待する。「ノー、向こうへ行きなさい」と言えば相手が消えてくれると期待する。だが、引き寄せベースの宇宙（加えることがベースの宇宙）では、ノーはあり得ない。

何か望むことに関心を向けて、「イエス、こっちへいらっしゃい」と言えば、それが波動に取り込まれ、「引き寄せの法則」が働いて引き寄せが始まる。だが、望まないことに関心を向けて、「ノー、あなたは望まない。消えてくれ！」と言うと、「宇宙」はそれも持ってくる。**あなたがそこに関心を向けたから、それと波動が一致し、反応が起こる――言葉に反応するのではないのだ。**

だから「完璧に健康になりたい。それを望む。完璧な健康という考えに浸っている」と言えば、健康が引き寄せられる。だが「病気なんか望まない」と言っても、病気が引き寄せられてくる。「ノー、ノー、ノー」と言えば、それはどんどん近寄ってくる。望まないことに抵抗すればするほど、あなたはそこに呑み込まれてしまう。

人は、完璧な配偶者を見つければ、望みどおりの体重になれば、十分なお金を貯めれば、求めている幸福が見つかると信じたがる。だが、肯定的な側面しかないものなど、どこを探してもありはしない。「宇宙」は完璧にバランスがとれている。それは「宇宙」のどんな粒子にもポジティブとネガティブが（望むことと望まないことが）存在することを意味している。あなたが創造し、選択し、定義し、決定する者として肯定的な側面を求めれば、それが――すべての面で――あなたの人生になる。完璧な反応をするために、完璧なことが現れるまで待つ必要はない。そうではなくて思考と波動をポジティブに整えれば、ポジティブなことを引き寄せられるし、創造できる。

毎日をこんなふうに宣言して始めるといい。「今日はどこに行くにしても、何をするにしても、誰といっしょにいるとしても、きっと見たいことを見つけるぞ」

朝起きたときあなたは生まれ直すのだということを覚えていてほしい。眠っている間は引き寄せは全部停止している。眠っている時間は――あなたの意識は引き寄せをしていないから――隔離されているようなもので、だから目覚めたらリフレッシュして新しく始めることができる。朝起きたときに前の日のトラブルをまた反芻したりしなければ、新しい一日、新しい誕生、新しい始まりが曇ることもない。

明るくていい気分になると決めれば、いい気分が引き寄せられる

ある女性がこんなことを言った。「休暇中に三度か四度、パーティーに呼ばれています。招待を聞いたとたん、こう考えたのです。『ああ、メアリもきっと出席するわね。彼女はきっとゴージャスなかっこうで行くんだわ』すると、たちまちわたしは自分とほかの人を比べだしました。でも、本当はそんなことはやめて、自信を持って出かけ、誰が来ていようともパーティーを楽しみたい。こんな自意識を転換して、肯定的な側面を探す方法を教えてもらえませんか。こんなふうじゃ、パーティーにも行きたくな

い気分です」

わたしたちは説明した。パーティーに出席することを考えて、あなたの自意識が拡大されて嫌な気分になったとしても、それはパーティーのせいでもメアリのせいでもない。ほかの人との関係は複雑すぎて、子ども時代にさかのぼってみても整理しにくいことが多いが、そんなことは実はどうでもいい。あなたにはたった今肯定的な側面と否定的な側面を見つけ出す――望むことを考えるか望まないことを考えるかを決める――力がある。そのプロセスをたった今始めても、最初のパーティーの数日前に始めても、あるいはパーティーに出かけるまで待っても、するべきことは同じだ。**そこにピントを合わせたら、明るくていい気分になることを探しなさい。**

自分の心のなかで起こることはコントロールしやすいから、たいていはパーティーの最中よりも、その前に状況の肯定的な側面を見つけるほうが簡単だ。こうなるといいなという状況を想像して、ポジティブな反応を練習すれば、実際にパーティーに行ったとき、数日前から練習していたように自分をコントロールできるだろう。

明るくていい気分と嫌な気分に同時になることはあり得ない。望むことと望まないことに同時にピントを合わせることはできない。パーティーに出る前にいいことや望むことに思考を向けるように心がけていれば、「引き寄せの法則」によって明るくていい気分になること、望むことが引き寄せられてくる。単純なことだ。

これからはパーティーで今までとは違う気分になりたいなら、今までとは違うストーリーを語るようにしなくてはいけない。これまであなたが語っていたストーリーはこんなふうだった。「わたしがパーティーに招かれたのは夫のおかげ、それだけだ。本当はわたしがいてもいなくてもどうでもいい、とみんな思っている。わたしはこの会社の仕事とは関係ないし、彼らが興味を持っていることのほとんどが、わたしには理解できない。わたしはよそ者だわ。メアリはわたしみたいによそ者だと感じていない。あの人が自信たっぷりなことは、服装や態度からよくわかる。メアリのそばにいると、自分が魅力がなくて、スマートでなくて、何もかも劣っていると感じる。ほんとに嫌な気分。来なければよかった」

そこでもっと気分が明るくなるストーリーの一例を挙げよう。「わたしの夫は会社で尊敬されている。ときどき社員と配偶者がともに交流できるチャンスを会社が作ってくれるのは本当にいいことだ。誰もわたしが会社の内部事情に詳しいだろうなんて期待していない。それどころか、パーティーでは仕事以外のことを考えられて楽しいと思っているんじゃないかしら。

世界は夫の会社よりもずっと大きいし、人生にはいろいろなことがある。わたしは会社には行ったことがないから、かえって新鮮に感じてもらえるだろう。だってあの人たちのトラブルとわたしは無縁だもの。メアリは明るくて親しみやすそうに見える。

彼女も会社の人事抗争や問題とはなんの関係もない。彼女を見ていると楽しい。おもしろそうな人だ。あの服はどこで買ったのかしら。本当にすてきな服を着ているわね」

おわかりだろうが、今まで感じたすべての不安を解消する必要はないし、このパーティーで自意識の問題を解決しようとしなくてもいい。何かポジティブな面にピントを合わせて気分が明るくなるのを感じさえすればいい。そのうちにメアリを見てもいら立たなくなるし、友達になれるかもしれない。どっちにしても決めるのはあなたたし、あなたの波動がそれを実現するのだ。

人々の苦痛を感じるのはどうすればいいか?

わたしたちの友人のジェリーはこんなことを聞いた。「わたしが嫌な気分になるのはたいてい、ほかの人の苦痛を見ているときなんです。どうすれば『転換のプロセス』を活用して、ほかの人の苦痛を感じなくなりますか?」

わたしたちは説明した。あなたが何に関心を向けているにせよ、そこには見たいものと見たくないものが両方含まれている。あなたが苦痛を感じるのは、あなたが見ている人が苦痛を感じているからではない。その人たちのなかで苦痛を感じさせる側面を見ることをあなたが選んだからだ。これは大きな違いである。

もちろん、その人が苦痛ではなく喜びを感じていれば、あなたも簡単に喜びを感じられるだろう。だが、自分の感じ方をコントロールするのに、状況の変化をあてにしてはいけない。どんな状況でもポジティブな面に焦点を定める能力を高めなくてはいけない。そのためには、すべての事柄には望むことと望まないことが含まれていて、自分がその気になれば明るくていい気分になることを見つけられる、ということを思い出しなさい。

もちろん目の前の何かをただ見ているほうが、意図的に見たい側面に意識を向けるよりも容易だ。だが、明るくていい気分になることが本当に大切なら、ただぼんやりと見ているのではなく、肯定的な側面を見ようという気になるだろう。それに明るくていい気分になることに焦点を定めれば定めるほど、「引き寄せの法則」によって明るくていい気分になることが引き寄せられ、そのうちすっかりポジティブ志向になってポジティブでないものは目に入らなくなるだろう。

ある母親に息子の問題は無視しなさいとアドバイスしたら、彼女はこんなことを言った。「でも、そうしたら息子は見捨てられたと感じるのではありませんか？　わたしは息子のそばにいてやるべきではありませんか？」

わたしたちは、息子の人生の肯定的な側面に焦点を定めることは「見捨てる」のとは全然違うと説明した。それに、明るくていい気分にならない思考は捨てたほうがいい。わたしたちは言った。「相手の問題や不満の共鳴板になってやっても、少しも相手を助けることにはならない。息子さんの人生がもっとよくなるというイメージを抱いているほうが、ずっと息子さんの助けになります。息子さんのもっといい人生という場にいておあげなさい。そして、その明るくて前向きな気分の場に息子さんを呼んであげるのです」

明るくていい気分になりたいと意識し、自分の感情を大切にすれば、明るくていい気分になることがたくさん見つかるし、さらに明るくていい気分になれる。そうなれば明るくていい気分の人にも嫌な気分の人にも接することができる。明るくていい気分になりたいという心構えでいると、相手との交流に向けて事前に調子を整えておけるし、相手がどんな状況にあっても、楽にポジティブな面に焦点を定めることができる。だが、自分の波動を整えておかず、明るくて気分のいい考えと波動を維持しようと意識していなければ、相手の状況に呑み込まれて簡単に嫌な気分になってしまうだろう。

あなたはつらい状況にある相手の苦痛を感じているのではなく、**自分自身の思考が引き寄せた自分の苦痛を感じているのだ**、とわたしたちは強調したい。そこに気づけば状況をコントロールする力が大きくなるし、真に自由になれる。**思考は自分でコン**

トロールできるから感じ方も自分でコントロールできるとわかれば、あなたは自由に生きて楽しむことができるが、自分の感じ方は他人の行動や状況に左右されると信じていたら――そして他人の行動や状況をコントロールすることはできないとわかっていたら――自由だとは感じない。実はそれが、あなたが言う「苦痛」なのだ。

わたしの同情は役に立たないか？

ジェリーは言った。「困っている人たちに関心を向けなければ、わたしは明るくていい気分でいられるでしょう。でも、その人たちを助けて明るくていい気分にしてあげることはできませんよね。言い換えれば、わたしは問題を解決せず、ただ避けただけでしょう」

わたしたちは答えた。問題に焦点を定めなければ、あなたは明るくていい気分でいられるが、その人たちはやっぱり問題を抱えたまま。確かにそのとおりだ。初めのうちは。だが、あなたがその人たちの問題に焦点を定めれば、あなたは嫌な気分になるし、その人たちも――問題は相変わらずなのだから――嫌な気分のままだ。あなたがその人たちの問題に焦点を定め続けていると、そのうちあなたにも問題が起こるだろう。だが、あなたが問題に焦点を定めず、解決策やポジティブな結果を想像するようにしたら、あなたは明るくていい気分になる。そのとき、あなたの影響でその人たちももっとポジティブな考え方をしていい結果になる可能性が出てくる。

簡単に言えばこういうことだ。「自分がネガティブな気分でいるとき、ほかの人の役に立つことはできない（解決策を提示することはできない）。なぜなら、ネガティブな気分なのは、あなたが望むことではなく望むことが欠けているという面に焦点を定めていることを意味するから」

だから、誰かがつらい体験をして強烈にネガティブな空気をまとったままあなたの前に現れたら、そしてあなたが既に意図的に波動を整えて明るくていい気分でいるのでなかったら、あるいはその人のネガティブな波動に巻き込まれたら、あなたも苦痛の連鎖の一つになってその不快感を誰かに伝え、その人もまた誰かに、というようにつながっていくだろう。

しかし、毎晩眠りに就くとき、「これから眠っている間はすべての引き寄せが停止する。だから明日は新しい始まりだし、明日は明るくていい気分になるために自分が見たいと思うことを探そう。明るくていい気分でいることこそ、いちばん大切なのだ！」と自分に言い聞かせ、意図的に波動を整えておけば、朝目覚めたときには前日のネガティブな気分は消えて、さわやかな一日を始められる。そうなれば苦痛を抱えた人が近づいても、あなたはその人の苦痛に巻き込まれたりしないし、逆に幸福のいい例を示すことができる。あなたが感じていることがあなたから発散するのだから。

さて、あなたが幸せでいるからといって、ほかの人もすぐにあなたといっしょに幸せになれるわけではないだろう。それどころか、あなたの感じ方と相手の感じ方に大きな違いがあれば、つきあうのは難しいかもしれない。しかし、あなたがポジティブな波動を維持し続けていれば、いずれは相手もあなたと同じポジティブな位置にやってくるか、さもなければあなたの経験の範囲から消えるはずだ。不幸な人があなたの経験のなかから消えずにいるのは、あなたがその人に関心を向け続けている場合だけだから。

あなたが友人二人と山道を歩いていたとする。あなたはよく前を見ていなかったのでつまずいて崖から落ちかけ、ツタにつかまって危なっかしくぶら下がった。友人の一人はとても頑丈で足場もしっかりしているが、もう一人は不器用で上の空だとする。あなたはどちらの人を頼りにするだろう？　肯定的な側面を探すのは確かな足場を探すのと同じだ。それが「内なる視点」から見た「本当のあなた」だ。そしてあなたがいつも明るくていい気分になる思考に同調していれば、「宇宙」の強力なリソースがあなたのものになる。

誰かに共感するとは、その人の状況に焦点を定め、その人と同じ気分になることだ。誰でも素晴らしい気分になる可能性もあれば、ひどい気分になる可能性もあるのだから——願望を実現する可能性もあれば、実現に失敗する可能性もあるのだから——どちらの側面に共感するかをあなたは選ぶことができる。だから、できるだけほかの人の明るくていい気分になる側面に共感するようにしなさい。そうすれば、あなたは相手に影響を与え、その人の状況をよくしてあげることもできるかもしれない。

人が傷ついているとき、傷つかないでいるには

ある人がこう尋ねた。「人と別れるとき、相手の気分を傷つけないで済む方法はありませんか？　自分ではもう先へ進むときだと思うが、相手はまだその用意ができていなくて、とても動揺してしまう。そんな状況でバランスを維持するには、どうしたらいいでしょう？」

わたしたちは答えた。相手がどう感じるかに関心を向けて自分の行動を決めようとすると、あなたは無力になる。相手の見方をコントロールすることはできないから、相手の見方に振り回されていたのでは、自分自身の波動や引き寄せの作用点、自分の感じ方を改善することはできない。

自分が何を望むのか、どうして望むのかに焦点を定めて波動を整える前に、誰かとの関係を終わらせようとすると、どんな行動をとってもそれまでの不快感が続く。関係が切れて一人になっても、あるいはほかの人との関係が始まっても、古いネガティブな波動がつきまとって、結局うまくいかないだろう。簡単にいうと、波動のバラン

スを整えたあとで別れるほうがずっといい。そうしないと、いつまでも不快感を経験し続ける。

状況の中身を明らかにして、選択肢をあぶりだしてみよう。あなたはその人間関係でしばらく不幸を経験したので、もう終わらせたほうがいいと決意した。言い換えれば、人間関係を続けるより終止符を打ったほうが幸せになる可能性が大きいと考えた。だが、パートナーにそれを告げると、パートナーはもっと不幸になる。そしてパートナーがもっと不幸になると、あなたももっと不幸になる。

選択肢の一つは、「心配しなくていい。不幸にならなくていいよ。わたしは気が変わった。別れない」と言って、今の関係を続けることだ。だが、結局は二人とも不幸だと感じるだけだろう。あなたは別れる決心をして、そのためにパートナーはもっと不幸になった。あなたがその決意を撤回したから、パートナーの不幸は少し減った。だがどちらも不幸なことに変わりはない。だから、変化といえば、しばらくは関係が前よりぎくしゃくすることだけで、基本的にはあなたはその人間関係に満足していないし、不幸なままだ。

もう一つの選択肢はそのまま別れることだ。あなたは人間関係の嫌な面のすべてに焦点を定め、別れを正当化しようとする。そうやってネガティブな面に焦点を定めていれば、やっぱり別れるべきだったと納得できるだろうが、本当に明るくていい気分になることはない。人間関係が終わって不幸から解放されて少しホッとするだろうが、それでも自分の行動を正当化しなくてはいけないという気持ちは消えないだろうし、そのためにあまり楽しくない状態が続くだろう。だから、トラブルのもとである人間関係を断ち切ったあとでも、やはりトラブルは続く。

実は、あなたはどんなことをしてもほかの人が嫌な気分になるのを防げはしない。なぜなら、相手が嫌な気分になるのはあなたの行動のせいではないからだ。人間関係や人生では、相手の感情を観察し、それを自分の行動で変化させて相手を幸せにしようと試みること以上に大きな罠はない。

あなたが幸せになる唯一の方法は、幸せでいようと自分で決意することだ。他人の幸せの責任を引き受けようとするのは、不可能を可能にしようとすることで、あなた自身の波動の乱れが大きくなるだけだ。

そこで「転換」と「肯定的な側面を探すプロセス」にあった選択肢を考えてみよう。今いるところにとどまり、行動や振る舞いを大きく変化させないこと。言い換えれば、いっしょに暮らしているならそのまま暮らし続ける。この選択肢では、あなたの行動ではなく思考のプロセスを変化させる。思考のプロセスを変化させるのは、今までとは違ったところに焦点を定め、人間関係について、あるいは人生について、違ったストーリー、もっと明るくていい気分になり自信が持てるようなストーリーを語るためだ。

例えばこんなふうに。「この人間関係を終わらせようと考えたのは、自分が幸福ではないと思ったからだ。だが、別れることを考えていて気づいたのだが、相手と別れても自分自身とは別れられない。だから自分が不幸だからと別れても、その不幸は自分について回るだろう。別れたいと思ったのは、もっと明るくていい気分になりたいからだ。それなら、別れなくても明るくていい気分になる方法はないだろうか。この人間関係のなかにも、明るくていい気分になれるような側面はないだろうか。

この人と出会ったときのことをよく覚えている。この人に引かれ、もっとよく知りたいとワクワクしたっけ。そして知り合ってとても楽しかった。この人との関係の始まりはとても素晴らしかった。だがいっしょに過ごす時間が長くなったら、どちらも互いの相性が完璧ではないとわかってきたように思う。どちらが悪いというわけでもない。相性が完璧でないからといって、どちらかが悪いせいではない。ただ、どちらにももっと相性のいいパートナーがいるかもしれない、というだけだ。

この人には好きなところがたくさんあるし、そういうところは誰にでも好かれるだろう。頭がいいし、いろいろなことに関心を持っている。よく笑い、楽しむことが大好きだ。この人と知り合ってよかったと思うし、いっしょに過ごした日々はどちらにとっても貴重だったと、いずれわかると思う」

そこで、あなたの重要な質問に対するわたしたちの答えはこうだ。あなたが自分の行動をどう変えても、相手が感じる苦痛をコントロールすることはできない。ただ自分の苦痛が消えて明るくていい気分になるほうへ思考の方向を変えて、あなた自身の苦痛をコントロールすることはできる。**あなたが望むことに関心を向ければ、いつでもあなたは明るくていい気分になる。望むことが満たされていないということに関心を向ければ、いつでも嫌な気分になる。そして誰かの望みが満たされていないということに関心を向けていても、やはりあなたは嫌な気分になる。**

物質世界の存在としてのあなたがたは行動志向だから、すべてをたった今修正しなければならないと思う。あなたのパートナーはいきなり今のようになったわけではない。あなたがたがつきあっている間にそうなったわけでもない。そこまでには長い道のりがあった。その間に勢いがついていた。だから、今話し合ってすべてが解決するなどと期待してはいけない。それは種をまくのと同じだと考えなさい。とても強くて確かな力に満ちた種だ。あなたは完璧に種をまいた。そして、しばらくの間、言葉でその種を育てたのだから、あなたがいなくなってからも種は育ち、いずれはそうあるべき花を咲かせるだろう。

続けるべきではない人間関係はたくさんある。だが怒りや罪悪感や自己正当化の感情を持ったまま人間関係を終わらせてはいけない。まず波動を整え、明るい気分に

なってから別れなさい。そうすれば前と同じことを繰り返さなくて済む。

他人の創造に責任はとれない

他人が人生経験で何をするかに責任をとろうとしてはいけない。願望が満たされていない場所にいる相手も立ち直ると考え、このあとはきっとよくなると思いなさい。そうすればあなたの気分も明るくなる。それどころか相手がまだ眠った状態でも、いい方向へ向かうように影響力を与えられるかもしれない。人のことを考えるときには、幸せな姿を思い浮かべなさい。以前交わした、あるいは別れ際に交わした悲しいやり取りを思い返すのはやめなさい。あなたが未来へと進んでいくように、その人たちも未来に向かって進んでいくのだと思いなさい。**その人たちにも「ナビゲーションシステム」があって、ちゃんと道を見つけると信じなさい。**

ほかの人を助けようと思うときによく陥る落とし穴は、**「あの人たちは自分ではどうしようもなくて、わたしの助けを必要としている」**と考えることだ。そんな考え方はその人たちにとってもよくない。その人たちだって深いところでは自分で何とかできると知っているし、自分で何とかしたいと思っているのだから。

パートナーにはこんなふうに言うといい。「きみは本当にすてきな人だ。わたしたちは思ったほど多くのレベルでつながってはいなかったけれど、きみにとって完璧なパートナーがどこかにいると思うし、そのチャンスに向かってきみを解放してあげたい。チャンスを求めなさい！　きみをここに閉じ込めておきたくないし、どっちも望んでいないところに縛り付けておきたくない。どちらも自由になって自分の望みを実現すべきだと思う。永遠のさよならを言おうというのではない。お互いの関係を新しい目で理解しよう。結果を恐れて無理やりに現状を維持するのではなくて、情熱的で前向きな気分で二人の関係を考えよう、と言っているんだ」

それから、こう言ってあげなさい。「きみのことを考えるときには、今は悲しがっているけれど、そのうちきっと幸福になるだろうと思うことにする。幸せなきみを思い浮かべるつもりだ。それがわたしの願いだし、きみもそうだと思う」

この言い方はきついとか冷たいと聞こえるかもしれない。だがこれ以外にいい方法はあり得ない。

ナビゲーションに従い、明るくて前向きな気分になる

あなたはどんな状況でも「転換」する力を持っている。何かがどれほどネガティブに見えても、肯定的な側面に関心を向ける力がある。それを妨げるのは古い習慣、あるいは他人の強い影響だけだろう。

ほとんどの人はどうしても習慣に縛られ、パターンにはまってしまうから、求める

喜びをいちばん早く実現する方法は、眠っている間に転換すること――そして望む方向へ転換して、新しい日に向かって目覚めることだ。眠る前に明るくていい気分になる考えを探りあて、静かで穏やかな気分で眠れば――そして目覚めたらすぐに明るくていい気分になる考えに関心を向ければ――間違いなく「転換」できる。このパターンで数日過ごせば、思考の習慣と引き寄せの作用点に大きな変化が起こり、文字どおり人生のすべてが好転するだろう。

「もしも？」というゲーム

どんなときでも肯定的な側面を探すのにベストを尽くしなさいと言うと、こんなふうに聞き返す人たちがいる。「でも、失業したばかりで、妻と五人の子どもがいて、あと2日すると家賃を払わなければならず、でもその金がない、という人はどうするんですか？　あるいはゲシュタポがやってきて、ガス室に連れて行かれそうになっている女性は？　そんな人たちはどうやって転換すればいいのですか？」

こういう極端な例に対しては、わたしたちはよくこう答える。それは、高度2万フィート（約6000メートル）を飛んでいる飛行機から今飛び降りたところで、パラシュートはない。「さあ、どうすればいいんですか？」と聞くようなものだ、と。普通はこんな極端な、快適な逃げ道がまったく見つからない状況にはぶつからない。しかし、あらゆるドラマやトラウマがつきまとう、こんな極端な状況でも、正しい方向に焦点を定めれば、解決策を見いだすパワーはあり得る。それは外から見る者が驚愕するような、それどころか奇跡だと思うようなパワーだ。

言い換えれば、ポジティブな解決策がまったく見つからない状況はないが、そんな解決策を実現するには前向きの波動に非常に強力に焦点を定める必要がある。そしてそのような状況に陥る人はたいてい、ポジティブなほうに焦点を定めるのがあまり上手ではない。だからこそ、そんなネガティブな状況に陥るわけだ。

極端な状況に巻き込まれると自分のなかからパワーがわき出るし、明るくていい気分になりたいと強く思って、ポジティブな面にしっかりと焦点を定めていれば、その場から大きく飛躍、向上することができる。言い換えれば、非常に病気が重い人は普通の人よりもずっと元気になる可能性がある。元気になりたいという願望が、ほかの人の何倍も大きいからだ。しかし、転換しなければ(病気ではなく、元気になりたいという願望のほうに関心を向けなければ)元気にはなれない。

肯定的な側面を探すには、「もしも？」というゲームをするといい。言い換えると、社会のなかで力を失った人たちが人生の状況を全然コントロールできずにいる例に目を向けるのではなく、力がわき出るようなストーリーを語るのだ。無力な被害者のストーリーを語って自分も被害者意識を拡大するのではなく、違ったストーリーを語ってみよう。

例えば、こんなふうに。ゲシュタポの訪問を受けた先の女性が、もしも何週間も前から大虐殺が近づいていると予感していたらどうだろう？　もし彼女がほかの大勢の人たちといっしょにもっと早くコミュニティを離れていたら？　もし彼女が2週間前に姉や伯母、伯父といっしょに新しい国で新しい人生を始めようと決意し、ゲシュタポがやってきたときにはもう自宅にいなかったら？

この「もしも？」のゲームをするときには、自分が見たいと思うことを探しなさい。明るくていい気分になることを探しなさい。

逃げ道のない状況は絶対にない。それどころか途中には何百、何千もの実際的な選択肢があるものだ。だが、多くの人は習慣から「ない」という視点を選択し続け、結局もはや選択肢がないという望まない状況に落ち込んでしまう。

「申し分のない状態」や繁栄や成功や幸福の証拠を見つけようという意志を持ち続けていれば、その波動に自分を同調させることになる。だから、人生は明るい気分のいい経験だらけになる。今日はどこに行くにしても、何をするにしても、きっと見たいことを見つけるぞ、と決意しなさい。

自分は世界をただ観察しているのではなく、意図的にポジティブに世界に貢献しているのだと肝に銘じれば、世界で起こっていることに関与できることがとても楽しくなるだろう。世界や国や近隣地域、家族、自分自身の身体に起こってほしくないことが起こっているのを見たら、そして自分には違うストーリーを語る力があるのだと思い出したら――そして、違うストーリーを語ることには大きなパワーがあるとわかっていれば――あなたはこの地上の人生に参加しようと決意したときに持っていた素晴らしい知識を取り戻すことになる。

あなたは今いる場所と違うところには行けないが、自分の居場所についてもっといい見方、さらにいい見方を表明する力を持っている。そして意図的、意識的にいい見方を心がけていけば、関心を向けるあらゆるもののポジティブな面に焦点を定めることがどんなに大きなパワーになるかを示す証拠を実際に目にするだろう。

明るくていい気分になりたいと決意し、毎日起こる出来事について意識的に肯定的な側面を探せば、そして意図的に自分が欲することを明確にして、そこに焦点を定めれば、いつも満足と喜びが満ちあふれる道に踏み出すことができる。

このプロセスはシンプルで理解しやすく実践しやすいが、シンプルだからといってその力を見くびってはいけない。常に実践し、整えられた思考のパワーが持つ「てこ」の力を自分自身に示しなさい。世界を創造している「エネルギー」のパワーを――あなたがいつでもアクセスできる、そして今はその使い方も理解しているパワーを――発見し、自分自身の創造に向けてそのパワーの焦点を定めなさい。

Part2

お金を引き寄せ、豊かさを実現する

お金を引き寄せ、豊かさを実現する

お金は経験に絶対不可欠なものではないが、ほとんどの人にとっては「お金」と「自由」は同義語だ。そしてあなたがたは存在の核心で、自分は自由に生きる権利があるとはっきり認識しているから、お金との関係は人生経験のなかで最も重要なテーマになる。だから、お金についてあなたがたが強い感情を持っているのも不思議ではない。

自分の経験のなかに多額のお金を流れ込ませる自由を発見している人もいる。だがほとんどの人は、希望する金額よりもずっと少ないお金しか手に入らないため、自分が自由だと感じられない。この本を読んで「法則」をベースにした真実に共鳴すれば、あなたは世界の豊かさを求める自分の願望に同調するだろうし、その結果はまもなくあなたにもほかの人にもはっきり目に見える形となって現れるだろう。

長年、金銭的な豊かさを実現しようと努力してきた場合でも、まだ若くてスタート地点に立ったばかりでも、金銭的な「よいあり方（ウェル・ビーイング）」への道のりは決して長いとは限らない。多くの時間や物理的な努力が必要というわけでもない。あなたがたが使うことができる「エネルギー」という「てこ」の作用をどう活用すればいいか、シンプルで理解しやすい言葉で説明してあげよう。それにお金についての考えやそうした考えを抱いているときの感じ方と、経験に流れ込んでくるお金との絶対的な関係についても教えてあげたいと思う。その関係を常に意識していれば、そしてそれに基づいて意図的に思考を方向づけようと決心すれば、「宇宙」のパワーにアクセスできて、金銭的な成功には時間も物理的な努力もあまり関係がないことがわかるだろう。

そこで、あなたがたの宇宙と世界のシンプルな前提条件から始めよう。

「あなたが考えていることが現実になる」

しかし、人はよくこんなふうに言う。「そんなはずはない。だってわたしは記憶にあるかぎりずっと、もっとお金が欲しいと望み、考え続けてきた。だが今でもお金が足りなくて苦労している」金銭的な状況を改善したいと思うなら、これに対するわたしたちの回答をしっかり理解することが大切だ。お金に関する事柄は、実は二つに分けられる。

①お金がたくさんある。多額のお金によって得られる自由と安らぎの感情
②お金がない。お金が足りない。お金がないために生じる不安と失望の感情

人はよく「お金が欲しい」と言えば、それはポジティブな言葉のはずだと思う。だがお金について語りながら（ほかのことでも同じだが）、不安や不快感を感じるとしたら、お金について語っているのではなく、「お金が足りないこと」について語っている。この違いはとても重要だ。なぜなら前者はお金を引き寄せ、後者はお金を遠ざけるから。

自分が本当はどう考えているかに気づくことが大切だし、もっと大切なのは、お金についてどう感じているかをはっきり認識することだ。「ああ、あれはなんて美しいんだろう。でも、自分には買えない」というようなことを考えて口にしていたら、あなたは望む豊かさを実現する波動状態になっていない。買えないと思ったときに感じる失望は、あなたの思考のバランスが願望そのものではなく、望むものがないというほうに傾いているしるしだ。**欲しいものが買えないと考えたときに感じるネガティブな感情は、思考のバランスの状態を知る手がかりの一つだが、実際に経験している豊かさもそれを知る手がかりなのだ。**

多くの人々は現実の経験を超えたことを考えないので、いつまでも「足りない」という経験を続けるはめになる。言い換えれば、お金の不足を経験し、認識し、しょっちゅう口にするなら、いつまでもその状況にとどまる。金銭的な状況をありのままに語るのではなく、望む状態についてのストーリーを語ることにパワーがある、とわたしたちが説明すると、多くの人たちは反対する。彼らは現実を認識すべきだと信じているからだ。

だが、ありのままを見て、ありのままを語り続けていたら、望みの実現に近づくことはできない。人の顔は変わり、場所は変わるかもしれないが、あなたの人生経験には基本的になんの改善も見られないだろう。人生経験をはっきりと変えたいと思うなら、はっきりと違う波動を出さなければならない。つまり違う感情がわき起こるようなことを考えなければならないのだ。

不足に根ざす行動は効果的ではない

ジェリー　もう何年も前ですが、わたしはテキサス州エル・パソの近くにモーテルを一軒所有していました。そうしたら、当時アメリカ一の大金持ちの一人だったH・L・ハントから電話がかかってきたんです。彼が買収したリオ・グランデの小さなリゾート、オホ・カリエンテが破綻しかけていて、わたしならそこを立て直すのに役立つ情報を持っているかもしれないと聞いた、ということでした。それでうちの小さなコーヒーショップで会ったのですが、わたしは会話にうまくついていけなくて困りました。どうしてそれほどの大金持ちがまだ不満で、もっと儲ける方法を探しているのか、理解できなかったからです。なぜそのリゾートを――いくらでもいいから――売却して、持っているお金で人生を楽しまないのか、と思いましたよ。

もう一人、大金持ちの友人がいます。いっしょにブラジルのリオ・デ・ジャネイロに行って浜辺を散歩したのですが、ビジネス上の問題の話ばかりするのです。彼が――そんな大金持ちなのに――問題を抱えている、ということがわたしには驚きでした。でもエイブラハム、あなたがたから学んだのは（本当にたくさんのことを学びましたね）、人生の真の成功はどれほどお金を持っているかで決まるのでもなければ、どれほどたくさんの物を持っているかで決まるのでもない、ってことでした。そうですね？

まず波動をバランスさせる

エイブラハム　所有物も行動もみんな、あなたがたの「存在」状態をもっとよくするのが目的だ。言い換えれば、大事なのはあなたがたがどう感じるかで、どう感じるかは「本当の自分」と調和しているかどうかで決まる。まず「本当の自分」と調和すれば、あなたがたが集めるものも行動もすべて、いい気分という存在状態を強化するほうに働く。だが、そもそも波動がバランスしていなければ、明るくていい気分になろうとしていくらたくさんのことを経験し、たくさん行動しても、波動はますますずれていくばかりだ。

わたしたちは物を集めるのをやめなさいとか、行動するのをやめなさい、と言っているのではない。物も行動もすべて物質世界の経験に不可欠だ。言い換えれば、あなたがたは自分にとって本当に楽しい成長と拡大とは何かを知るために、物質世界の細部まで探索して素晴らしい経験をしようと考えて生まれてきた。ところがバランスが狂ったままで前進しようとすると、必ず嫌な気分になる。**自分はどんな気分になりたいのか、どんな状態でいたいのかをはっきりさせ、その確かな足場からインスピレーションに従って物を集めたり行動したりすれば、バランスを維持できるだけでなく、集めた物や行動を楽しむこともできる。**

ほとんどの人は、「欠けている」という立場から何かを望む。たいていは自分が持っていないから欲しがる。だから、何かを手に入れても本当には満足できず、深いところで不満が残る。なぜなら、いつだって持っていないものは必ずあるから。そのために次はあれが欲しいと思い続け（それが手に入ってもやっぱり満足できない）、人生は終わりのない闘いになる。自分が持っていないから欲しい。それを手に入れられれば隙間を埋められるだろうと思う。だがそれは「法則」に反している。

欠けているという立場からする行動は常に非生産的だ。そして、常にまだ欠けてい

るという気分につながる。人々が感じている空虚感は物では埋められないし、行動で満たすこともできない。人々が、欠けている、空虚だと感じるのは、自分の願望の波動と習慣的な思考の波動がずれているためだ。

いい気分になる思考を選択すること、違うストーリーを語ること、肯定的な側面を探すこと、本当の願望に「転換」すること、ポジティブな「もしも」を探すこと――これが隙間を満たす方法だ。すると実に興味深いことが起こる。欲しいものがどんどん経験に流れ込んでくる。だが、欲しいものが流れ込んでくるのは隙間を満たすためではない。なぜなら空虚感なんかもうないのだから。空虚感がないからこそ、物はどんどん流れ込んでくる。

確かにあなたがたは素晴らしい物を集めるだろう。望むこと、所有すること、行動することをやめなさいというのは、わたしたちのメッセージではない。あなたが気分よく感じるところから望み、集め、行動しなさい。それがわたしたちのメッセージだ。

お金も貧困も喜びを作り出さない

ジェリー　エイブラハム、お金で幸福は買えないという言葉がありますね。でも貧しいから幸せだ、ということもない。それでも、お金が幸福への道ではないことは確かです。そこで、何かを達成すると思うことが幸福をもたらしてくれるのだとしたら、

「達成」こそが適切な目標だ、ということでしょうか？　また、目標に達するには多くの時間とエネルギーが必要だとしたら、どうやって幸せな気持ちを持続させればいいのでしょう？　目標に到達するのはすごく大変で、到達したら少しは休めるけれど、またすぐに次の目標に向かって登り出さなければならない、ってことが多いように思うのですが。

どうすれば楽しく目標に向かって行くことができるでしょうか？　一生懸命に苦労して、苦労して、苦労して、やっと「ほら、やったぞ！」と思っても、また苦労、苦労、苦労が続いて、「またか」ってことにならないようにするには、どうすればいいですか？

エイブラハム　そう、あなたの言うとおりだ！　お金は幸福への道ではないし、もちろん貧困も幸福への道ではない。

幸福を達成するという目的で行動するのは実は逆効果だ、ということを思い出すことがとても大切だ。そうではなくて、明るくていい気分になるほうへ思考と言葉を向けなさい。そうやって意図的に幸福な状態を作り出せば、素晴らしい行動のインスピレーションがわくだけでなく、素晴らしい結果がついてくる。

多くの人たちはたった今の経験にほとんどの関心を向けている。つまり、結果が楽しければ明るくていい気分になるが、結果が楽しくなければ嫌な気分になる。だが、そういう生き方はとても大変だ。今あることを見る能力しかないとしたら、物事はよくはならない。もっといい経験をしようと思うなら、楽観的に将来を見る方法を探さなくてはいけない。

明るくていい気分になることへ思考を向ける方法を身につければ、まだ目標に到達していなくても、幸福を発見して維持するのは少しも難しくない。あなたがさっき言ったような大変だ、苦しいという思いは、今いるところと到達しようとしている目標をいつも比べるから起こる。目標までの距離を測っては、まだ遠いなあと思っていたのでは、踏破すべき距離も仕事も努力も増幅される。だから大変な上り坂だと感じる。

どう感じているかを大切にして、それをベースに思考を選択すれば、前向きな思考パターンが出来上がる。そうすれば、その明るくて気分のいい思考に「引き寄せの法則」が働いて、もっと楽しい結果が得られる。苦労だ、苦労だ、苦労だと感じていたのでは、決してハッピーエンドにはたどり着かない。それは「法則」に反する。「もっと状況がよくなれば幸せになれる」というのは、生産的な考え方ではない。なぜなら、幸せでなければ幸せな場所に到達できないのだから。まず幸せになろうと決める——そうすれば幸せな場所に到達できるのだ。

楽しい創造者として生まれたあなた

エイブラハム　あなたがたは集めたり反芻したりするためにこの世界に生まれたのではない。そうではなくて、「創造者」として生まれた。遠く目的地を見るとき、あなたがたは今いるところと到達すべき場所の距離を思って焦燥感を拡大させる。こういう思考習慣では創造の進度が遅くなるばかりか、永遠に目的地に到達できないだろう。**あなたは自分の経験を自分で引き寄せる。肯定的な側面を探し、明るくていい気分になることを考える努力をすれば、ポジティブな引き寄せができて、望みはもっと早く実現する。**

芸術作品を生み出す彫刻家は、完成した作品に最大の満足を見いだすわけではない。彫刻家の喜びは創造のプロセス（作品を彫刻すること）にある。物質世界におけるあなたがたの創造の経験も同じで、次々に何かになっていくことが楽しいのだ。明るくていい気分になることに関心を向け、常に楽しい存在状態を実現していれば、望むことがどんどん引き寄せられてくる。

人はときどき、幸せなことが実現する前に幸せな気分にならなければならないなんて不公平じゃないか、と不満を言う。その人たちは、不幸なときには幸せなことが起こる「必要がある」と考え、既に幸せなら幸せな出来事は不必要だと思う。だが、それは「引き寄せの法則」に反する。**欲することが「細部まで」実現するより前に、まず欲することの「エッセンス」を感じる方法を探さなくてはいけない。言い換えれば、豊かさが実現する前に豊かだと感じる必要があるのだ。**

人はよく、もっとお金が欲しい、と言う。そして、お金に関する思考のバランスはどうかと尋ねると、お金についてとてもポジティブな態度をとっていると答える。だが、請求書の支払いをするときはどんな気分かとさらに詳しく聞くと、たいていは、お金についてポジティブな姿勢をとっているつもりでも、実はとてもお金のことが心配で、恐怖すら感じていると気づく。言い換えれば、大半の人は自分でも気づかずに、豊かだという側面ではなくて、お金が足りないという側面ばかりを考えている。

波動のお金を使ってみる

エイブラハム　お金に関する思考のバランスを素早く変えて、もっとたくさんのお金を簡単に経験のなかに流れ込ませる方法がある。こんなプロセスだ。ポケットに100ドル入れて、いつも持ち歩く。そして一日中、そのお金を使えばどんなにたくさんの物が買えるかを意識して考える。「あれも買える。これも買える」と。

ある人は、今の世の中では100ドルくらいじゃそうたくさんの物は買えないと反論したが、わたしたちはこう説明した。頭のなかで100ドルを1000回使えば、波動的には10万ドル使うことになる。このようにポジティブにピントを合わせていると、お金に関する波動のバランスが劇的に変化する。波動のお金を使うというプロセスで、お金に関する感じ方が変わってくる。感じ方が変わると、引き寄せの作用点も変化する。そして、もっと多くのお金が経験に流れ込んでくる。**これが「法則」**だ。

こんなことを言った人もいる。「エイブラハム、わたしには100ドルなんかありません。あるのは借用証書だけです」そこでわたしたちは答えた。それでは負けのプロセスになってしまう。ポケットに借金があるという気分で歩き回るのは、望むこととは正反対だからだ。あなたは繁栄を感じたがっている。だから、たとえ20ドルでも50ドルでも、あるいは1000ドル、1万ドルでもポケットに入れておいて、**物事は——たった今——なんと素晴らしいんだろう、と感じるために効果的に使いなさい。**今繁栄を感じれば、あなたはもっともっと豊かになるはずだ。

お金が必要だと思っても、引き寄せられない

ジェリー　エイブラハム、みんなにもっと金銭的に成功してもらおうと努力していたとき、わたしがいちばんがっかりしたのは、最もお金が必要な人たちはわたしの教えることをわかってくれなくて、あんまり成功でききず、その一方であまりお金を必要としていない人たちが成功したことでした。それでは話が逆じゃないかといつも思った

ものです。お金を必要とする人のほうが一生懸命努力して成功するはずじゃないのでしょうか？

エイブラハム　欠乏という場所にいる人は――いくら行動しても――欠乏を引き寄せる。言い換えれば、強い感情のほうが行動よりも強力なのだ。**欠けているという場所からの行動は、常に非生産的だ。**必要性を感じていない人は欠乏という場所にいないから、行動が生産的になる。あなたの経験は「引き寄せの法則」とぴったり調和している。どんな経験でもそうなのだが。「宇宙」のどこを探しても、わたしたちが話すことと反対のことが起こるという証拠はかけらもない。

ジェリー　それからあまり成功していない人、あるいは成功する方法について聞きたがらない人はたいてい、お金を欲しがるのはよくない、非倫理的なことだと教えられてきて、たとえ満足していなくても現状維持がいちばんいいと考えているようですね。

エイブラハム　自分は欲しくないと言い出す人は、それまでさんざん欲しがって欲しがって、それでもすべての物事は実は二つの面を持つと理解していないので、欲しいものより欲しいものの欠乏のほうに関心を向けていることが多い。それで、欲しいものの欠乏ばかりを引き寄せている。そのために、ついにへとへとになる。そもそも持っていないから欲しいという人にとっては、欲しいというのは不快な体験なのだ。だから「もう欲しくない。欲しいと思うといつも嫌な気分になった。だから、欲しがらないほうが楽だ」と言う。

「貧しい」人が貧しいと感じなければ

ジェリー　**ほかの人が誰かを見て自分と比較し、その人は貧しいと言っても、当人が貧しいと感じなかったら、欠けているという場所にいることにはなりませんね。その場合には早く豊かさに近づける、そうではありませんか？**

エイブラハム　そのとおりだ。ほかの人がどう評価しようと、自分がその評価を気にしなければ、引き寄せの作用点にはなんの影響もない。自分の経験とほかの人の経験を比較し、ほかの人たちのほうが成功していると考えたら、自分のなかの欠乏感が増幅される。すると自分のほうが「下だ」という感情が活性化する。また、ほかの人の豊かでない経験に注目していても、豊かさを引き寄せる場所には行けない。あなたは自分が考えていることを引き寄せるのだから。

あなたが引き寄せること――あるいは押しのけること――は、ほかの人の行動とはいっさい関係がない。**豊かだという気分が大きくなれば、たとえ現在はそれにふさわしい豊かさが実現していなくても、常に豊かさが引き寄せられてくる。自分がお金についてどう感じているかに注目するほうが、ほかの人の行動に目を向けるよりはるかに生産的だ。**

経験のなかにさらに多くのお金を引き寄せることは、多くの人が考えているよりもはるかにやさしい。必要なのは自分自身の思考の波動バランスを整えることだけだ。もっとお金が欲しいと思い、でもお金が手に入るかどうかを疑っていれば、バランスはとれていない。もっとお金が欲しいと思い、自分より豊かな人に腹を立てていれば、バランスはとれていない。自分はダメだ、不安だ、ねたましい、不公平だ、腹立たしいなどという感情を抱くのは、「感情というナビゲーションシステム」があなたは自分の願望と同調していないよと教えているしるしだ。

たいていの人は、お金についての自分の波動を整えようと努力していない。その代わりに不公平を指摘し、お金について何が正しくて何が間違っているかを決めようと試み、それどころか文明社会のお金の流れを調整する代わりに、法律を押し付けようとして何年も、それどころか一生を過ごしている。実は——外的環境をコントロールする試みに比べれば——ほんの少しの努力で、非常に大きな見返りが得られるのに。

気分よく感じることほど重要なことは何もない。明るくていい気分は、あなた自身

のより大きな意図と調和しているということだから。多くの人は、成功するには一生懸命努力して苦労することが必要だというだけでなく、一生懸命努力して長く苦労するのが誇らしい生き方だと信じている。確かにそうやって苦労している間に、自分が何を望んでいるかが明らかになるだろうが、苦労しているという感情を解き放たないかぎり、欲しいものを経験に引き寄せることはできない。

人はよく自分の価値を証明しなければならないと感じる。そうすれば、いや、そのとき初めて報償が与えられるだろうと思う。だがわかってほしいのだが、あなたがたは既に価値がある。価値があると証明するのは不可能なばかりか、不必要だ。求める報償や恵みを得るために必要なのは、その恵みのエッセンスと同調することだけだ。まず経験したいと思っていることと波動を合わせなければいけない。

言葉だけで教えるのは難しいし、わたしたちは「宇宙の法則」とあなたがたの価値を知っていても、あなたがたが今この文章を読んで自分の価値を知ることができるとは限らない。それはわかっている。しかし、わたしたちが説明していることをよく考え、ここで提案しているプロセスを実践すれば、きっと「宇宙」は改善されたあなたがたの波動に反応し、確かに「法則」が貫徹しているという証拠を示してくれるはずだ。

それほど時間がたたないうちに、またここで提案している意図的な実践にそれほど努力しないうちに、あなたがたは自分には価値があり、自分が欲することをなんでも創造する能力があると得心するだろう。自分の価値を信じられない、いちばん大きな理由は、欲しいものを手に入れる方法が見つからないことで、そのために誰かが自分を評価せず報償を与えてくれないのだ、と間違って信じ込んでしまう。あなたの経験の創造者はあなたなのに。

こんなふうに宣言しなさい。「わたしはでき得る限りの最高を望む。これが最高だと考えることに調和するように行動し、所有し、生きたいと思う。わたしは物質世界のこの身体で生きることと、最高だと信じること、あるいは素晴らしい生き方と信じることを調和させたい」こう宣言し、明るくていい気分を感じるときにだけ行動すれば、常に最高だと考えるものと調和した道を進むことができるだろう。

「金銭的な豊かさ」のストーリー

エイブラハム　望んでいる金銭的な豊かさを実現できないのは、たいていが不足を信じているからだ。豊かさには限りがあり、十分にはゆきわたらないと信じていれば——だから、誰かが人より豊かなのは不公平だと感じ、その人たちのせいでほかの人が貧しいのだと考えれば——あなたは豊かさを押しのけ続ける。ほかの人が成功したから、あなたが成功できないのではない。そうではなくて、あなたがネガティブな比較をして、自分の望みが実現していないという面に関心を向けているから、成功できないのだ。ほかの人が不当に無駄遣いしたりため込んだりしていると非難して——あるいは十分にゆきわたる豊かさがないと単純に信じて——ネガティブな感情になると、自分の状況がもっとよくなることを否定してしまう。

ほかの人が何を持っていようが、何をしようが、あなたとはなんの関係もない。あなたの経験に唯一影響するのは、「非物質的なエネルギー」を思考にどう活用するかだけだ。あなたが豊かさを経験するか貧しさを経験するかは、ほかの人が何をするか何を持っているかとはまったく関係がない。関係するのはあなたの見方だけだ。あなたがどんな思考を差し出すかだけだ。運命を好転させたいと考えるなら、違うストーリーを語らなくてはいけない。

多くの人は、土地やお金や物を集めて豊かに暮らしている人を批判する。しかし、そういう批判は当人が欠乏という思考習慣を持っている証拠だ。その人たちはもっと明るくていい気分になりたいと思い、自分が達成できないことは「悪」だと思えば、もっと明るくていい気分になれるだろうと考える。だが、決して明るくていい気分にはなれない。なぜなら、欠乏に関心を向けているので、どこを見ても欠乏が見えるからだ。自分のなかに成功したいという思いがなければ、誰かの成功を見ても嫌な気分にはならないはずで、そういう人たちが批判を持ち続けていると、当人の成功への願望と波動がずれっぱなしになる。

言い換えれば、誰かが電話してきて「こんにちは、あなたはわたしを知りません。でも二度とあなたに電話しないとお話しするために電話しました」と言っても、あなたはその人が自分の人生からいなくなることにネガティブな感情を抱きはしない。初めからその人の存在を欲してはいないのだから。しかし、誰か大切な人が電話してきて同じことを言えば、願望と思考が一致しないから、あなたは激しいネガティブな感情を覚えるだろう。

何かについてネガティブな感情を抱いたらそれは常に、個人的な人生経験から生じた願望があるのに今はそれがほかの思考と衝突している、というしるしだ。波動の不一致は常にネガティブな感情を引き起こす。そして、ネガティブな感情は常に、思考を転換して「本当の自分」と今の願望の波動を調和させるための方向指示器として役立つ。

貧しい人が金持ちを批判したら

ジェリー　子どものころ、わたしは主として貧しい人たちに共感していました。そしてお金持ちをバカにしていました。例えば、ぜいたくな車を運転していると批判していたのです。だから、大人になってキャデラックが欲しいなと思っても、キャデラックを運転することができませんでした。昔自分が笑ったように、きっと人に笑われるだろうと思ったのです。それで、メルセデスを運転しました。当時はそれが「経済的な」車だと思われていたからです。

ようやくキャデラックを運転できるようになったのは、こう考えて自分の思考に橋を架けたからです。「この車を買えば、この車を作るために働く人たちに仕事を与えることになる。部品や材料を──革や金属やガラスを──作る人たちも仕事ができるし、技術者たちについても同じだ……」こうやって正当化して、やっとキャデラックを買うことができました。つまり、思考に橋を架けるプロセスを見つけて、成功のシンボルを経験することを自分に許せるようになったのです。

エイブラハム　あなたがやったような思考に橋を架けるプロセスは効果がある。明るくていい気分になりたいと思い、少しずつ明るくていい気分になる思考を見つけていけば、自分の願望と調和できるし、もっといい状態の実現を妨げる抵抗を手放せる。ほかの人の反対意見にピントを合わせることは決して生産的ではない。あなたのなかに不調和が生じるし、それが状態の改善を妨げるからだ。いつだって反対する人はいる。その人たちに関心を向けていたら、必ずあなた自身の願望と波動がずれてしまう。

自分の願望や行動が適切なものかどうかを決めるには、自分自身の「ナビゲーションシステム」に――自分がどう感じるかに関心を向けることによって――注目することだ。

選んだ事柄のどんな側面に目を向けても、あなたに反対する人は必ずいる。だからわたしたちは、あなたの最も立派な行動は「本当の自分」との調和を見つけることだと断言するし、それをぜひ理解してもらいたいと思う。あなたが自分自身を信頼する――これまで生きてきた経験から、自分が考えていることが適切かそうでないかをはっきり知ることができる場に到達しているし、そのための「ナビゲーションシステム」として自分の感情を信頼することができると思う――なら、あなたは正しく「ナビゲーションシステム」を活用している。

お金の価値がなくなったら

ジェリー エイブラハム、昔はお金というものは貨幣でした。貨幣を作っている金属そのものに価値があったのです。20ドルの金貨の場合はその金に20ドルの価値があり、銀貨の場合も同じでした。だから貨幣の価値を理解することは簡単でした。でも、今のお金はそのものには価値がありません。紙幣も貨幣もそれ自体は無価値なのです。

わたしはいつも、お金は物や才能を交換する便利な手段だと思っていました。ニワトリとミルクやジャガイモを物々交換するよりも、お金を使うほうが便利ですから。

でも、今のお金の価値は人工的に減らされていて、1ドルにどれだけの価値があるかを理解することはますます難しくなっています。言い換えれば、自分自身の価値を探らなくちゃならないような気がするんですね。「わたしの才能はどれくらいの価値があるのだろう？　自分が投下した時間とエネルギーに対して、いくら要求すべきだろうか？」でも、そんなふうに自分の価値を考えてはいけない、とあなたがたに教えられました。わたしたちは何を望むかを考えればいい。そうすればそれが実現すると。

多くの人たちは将来に金銭的な不安を抱いています。ドルの価値の変化を自分ではどうすることもできないと感じるからです。だって、ひと握りの人たちがお金の価値をコントロールし、操作しているのが普通ですから。多くの人が、もっとインフレになるかもしれない、それどころか不景気になるかもしれないと心配しています。わたしは、例えばドルの価値のような自分でコントロールできないことを心配せずに済むように、あなたがたが「引き寄せの法則」を教えてくれたのだ、ということをみんなに理解してもらいたいんです。

エイブラハム　今あなたはお金についてとても重要なことを指摘した。あなたの言うとおり、多くの人たちが今のドルには昔ほどの価値がないと気づいている。だがそれもまた、あなたがたがこだわりがちな欠乏という立場であり、そこにとどまるかぎり、本来あなたがたのものである豊かさは引き寄せられない。

ドルとドルに与えられた価値は、あなたがたが信じているほどあなたがたの経験にとって重要ではない、ということを理解してほしい。人としてのあり方や所有、行動について、自分が何を望んでいるかに関心を向けることができれば、お金は——望みを実現するためのほかの手段も——たいした努力がなくても、やすやすとあなたがたの経験に流れ込んでくる。

何度も同じことを繰り返すが、**欠けているという場所にいて、それと反対のことを引き寄せることはできない。だから、本当に大事なのは思考を調整して、自分が明るくていい気分になる考え方をすることだ。**

あなたがたの思考のすべてが波動で、その波動によってあなたがたは引き寄せている。欠乏という思考の波動は、「内なる存在」が知っているあり方とはあまりにも違うから、欠乏という思考をしているあなたに「内なる存在」は共鳴できない。その結果、あなたはネガティブな感情を抱く。向上や豊かさ、幸福という思考を持っていれば、その思考は「内なる存在」が知っているあり方と調和する。そのとき、あなたはポジティブな感情で満たされる。

物事について（なんでも実際は二つの側面があるから）どちらの側面に目を向けているかを知らせる指標として、自分の感情を信頼すればいい。**お金かそれともお金がないと**

いうことか、健康かそれとも健康ではないということか、人間関係かそれとも人間関係がないということか。どんなことでも明るくていい気分になるなら、それはあなたが望むものを引き寄せる場所にいるということだ。

下降スパイラルを逆転させるには

ジェリー　わたしは金銭的な問題を抱えている人を見ると心配になりました。そういう人たちは下降スパイラルにはまってどんどん落ちていき、ついには破産ということになるんです。ところが、そのあとはじきに、新しいボートやぜいたくな車、豪邸などを手に入れます。言い換えると、わたしが見てきた人たちは誰も破綻したままではいませんでした。でも、どうしてもっと早い段階で下降スパイラルを止めて上昇に転じられないのでしょうか？　どうして多くの人たちは底を打ってからでないと、這い上がれないのでしょう？

エイブラハム　下降スパイラルが起こる理由は、欠乏に関心を向けているからだ。何かを失うと恐れていると、あるいは失いつつあるものに関心を向けていると、望むものがないということに焦点を定めることになる。欠乏に関心を向けていれば、さらに失うだけだ。自己防衛や自己弁護、あるいは自己正当化や合理化をしたり、他人を非難したりしている間は、方程式の欠乏の側にいるから、さらに欠乏を経験し続ける。

だがいったん底まで落ちて、もう失うものは残っていないから自己防衛も必要がないとなると、関心が変化する。そこで波動も変化し——したがって引き寄せの作用点も変化する。もう底まで落ちたと思うと、人は上を見上げ始める。無理やりに違うストーリーを語り始めるしかなくなる、と言ってもいい。

あなたがたは人生経験のなかでいろいろな素晴らしいことに気づいて求め、それが人生に引き寄せられてくる。だが、心配したり、疑ったり、不安だったり、恨みがましかったり、人を非難したり、嫉妬したりするのは（どんなものでもネガティブな感情を抱くのは）求めるものを遠ざける思考をしているしるしだ。ドアのすぐ外まで引き寄せているのに、ドアが閉じているのと同じだと言ってもいい。あなたが100ドル札で買える物について違うストーリーを語り始め、気分を楽にして人生の肯定的な側面に焦点を定めると、そして波動という棒の、明るく前向きな気分になるほうの端を意図的に選択しだすと、ドアは開いて、望むものや経験や人間関係がどんどん流れ込んでくる。

闘いに反対する闘いも闘い

エイブラハム　自分の人生経験を創造するのは自分だと気づき、思考を方向づけることによって意図的に経験を創造できると学ぶこと、それはほとんどの人にとっては生き方の修正を意味する。ほとんどの人は、行動を通じて物事を実現するのだと長い間、信じてきたからだ。物事を実現するのは行動だと間違って信じてきただけでなく、望まないことに圧力を加えれば望まないことは消えるだろうと考えてきた。だから「貧困との闘い」や「麻薬との闘い」「エイズとの闘い」「テロとの闘い」があるわけだ。

望まないことに圧力をかけて押しのけようとすれば、人生経験から消えてなくなるだろうとあなたがたは信じているかもしれないが、「宇宙の法則」の働きはそうはなっていない。人生経験を振り返ってみても、そうではないことがわかるはずだ。なぜなら、さっき言ったような闘いはどんどん大きくなっている。**望みが満たされていないという面に関心を向ければ、欠乏はさらに拡大し引き寄せられてくる。望むことに焦点を定めていれば、望むことが拡大して引き寄せられてくるのと同じだ。**

自然な「よいあり方（ウェル・ビーイング）」にくつろいで、「わたしは豊かさを求めるし、『宇宙の法則』を信頼する。わたしは望むことに自分を合わせ、気分を楽にして、望むことを経験のなかに引き寄せる」と言えば、望むことはどんどん実現する。金銭面で苦労していると感じていると、金銭的な「よいあり方（ウェル・ビーイング）」を押しのけることになる。だが、金銭的なことについてもゆったりと構えれば、経験のなかに豊かさがどんどん流れ込んでくる。実に単純なことだ。

さらに、誰かが多額のお金を引き寄せているのを見てネガティブな気分になったら、それはあなたが望む豊かさの経験を今の思考が妨げているしるしだ。誰かがお金を引き寄せたり使ったりしているのを見て批判的な気分になると、お金を遠ざけることになる。だが、ほかの人がお金をどうしようと自分とはなんの関係もないことに気づけば、そして自分の第一の仕事は自分が明るくていい気分になることを考え、口にし、実行することだと気づけば、お金だけでなく物質社会の経験にとって重要なすべてのことと同調できる。

才能がなくても成功できるか?

ジェリー　才能や技能、能力は、豊かさやお金を引き寄せることにどう関係しますか?

エイブラハム　あまり関係ない。それはたいてい「行動」に関する事柄だし、あなたが何を引き寄せるかに、「行動」はほんの少ししか影響しない。あなたの思考と言葉(言葉は表現された思考だ)、それによってあなたの人生は展開していくからだ。

ジェリー　すると、特に売り物になるような技能や才能がなくても、人生で望む金銭的な豊さを実現できる、ということですか？

エイブラハム　まさにそのとおり。ただし自分を他人と比較したら（そして自分には売り物になる技能や才能がないと結論づけたら）自分をちっぽけに感じるから、ネガティブな予想で人生経験を台なしにしてしまうだろう。

あなたがたが身につけられる最も価値のある技能は、望むことに思考を方向づけて――あらゆる状況を素早く見抜いて、自分がいちばん望むのは何かを迅速に知り――そこにひたすら関心を注ぐことだ。思考を方向づけるというのは実に素晴らしい技能で、ただの行動などと比べものにならない成果を生み出す。

与えないで得ることはできるか？

ジェリー　それでは、1ドルの価値を差し出さないと1ドルの価値のあるものは得られないという信念は、どうすれば乗り越えられるでしょう？

エイブラハム　あなたがたが何かを知ろうとすれば、人生経験を通じて知るしかない。だが人生経験はあなたがたの思考の結果として現れる。だから、長い間何かを望んでいたとしても、望むことが欠けているという面に思考が向けられていれば、望みの実現は経験できない。そのためあなたがたは、望みの実現は不可能だ、あるいはとても難しいという結論を出す。言い換えれば、厳しい人生を送っていれば、当然いろいろな面で人生は厳しいという結論を出すだろう。

そういう自分で創り出した苦労の核心に何があるのか、あなたがたに理解させてあげたいと思う。あなたがたが今までとは違う前提から始めて、すべての事柄のベースにある「法則」を理解できるように手助けをしたい。今までわからなかった「宇宙の法則」を理解すれば、そして今までとは違うストーリーを語ろうという意志を持てば、違う結果が生まれる。違う結果を見れば、違う信念や理解を得ることができるだろう。

自分が有効な生き方をしているかどうかは自分にしかわからない。あなたとあなたの望みとの位置関係は他人にはわからないし、あなたがどんな生き方をすべきかも誰にもわからない。わかるのはあなたただけだ。

宝くじを当てたいが？

ジェリー 多くの人は金銭的な幸運が舞い込んで、借金やお金のためにしている嫌な仕事から解放してくれることを願っています。いちばんよく聞くのは、宝くじが当たればいいな、ということです。そうすれば誰かに損をさせることなしに、お金持ちになれますから。

エイブラハム　もし、その人たちが望みの実現を可能にする場所にいるなら、望みどおりお金が流れ込んでくるだろう。だが、たいていの人は宝くじに当たる確率は少ないと知っているから、当たるという期待はさほど強力にはならない。

ジェリー　それでは当たりたいという願いと当たるという期待は、どう関係するのでしょう？

エイブラハム　願うだけでも、疑うよりは生産的だ。そして期待するのはただ願うよりもずっと生産的だね。

ジェリー　でもどうすれば経験していないことを期待できるのでしょう？　一度も経験していないことは、どうすれば期待できますか？

エイブラハム　お金がなければお金を引き寄せられないわけではない。だが、貧しいと感じながら、お金を引き寄せることはできない。物事が変化するより先に、今いるところでもっと明るくていい気分になる方法を見つけること、それが鍵だ。うまくいかないことに対する関心を和らげて、現状ではなくて望む方向に沿ったストーリーを語り始めること。そうすれば波動が変化し、引き寄せの作用点が変化して、異なる結果が生まれる。そうやって異なる結果が出れば、さほどたたないうちに豊かさを知って信じるようになるから、ますます豊かさが引き寄せられてくる。だから、人はよく言うのだよ。「金持ちはますます金持ちになるし、貧乏人はますます貧乏になる」

明るくていい気分になる理由を探しなさい。望むものに自分を合わせなさい。そして明るくていい気分になる思考を抱き続けなさい。

豊かな暮らしは「魔法」ではない

エイブラハム　わたしたちの視点からあなたがたの「宇宙」の本質的な豊かさや、あなたがたがいつでも実現できる豊かさについて説明しても、それを読んですぐにあなたがたが知識を自分のものにできるわけではない。それはわかっている。わたしたちが言うことを信じなさいとか、理解しようと「とにかく努力」してごらんと言っても、あなたがたはわたしたちの理解を自分の理解にすることはできないだろう。あなたがたは人生経験を通じてのみ、知識を身につけるのだから。

あなたがたが経験の結果として信じ込んだことは非常に強力だ。もっと生産的な信念がほかにたくさんあっても、あなたがたがその強い信念を手放して直ちにほかの信念と取り替えることができないのは、よくわかっている。だが、別に今の信念を手放さなくても、人生経験を大きく変えるために今日から始められることがある。**人生や自分にとって大切なことについて、今よりポジティブで明るい気分になるストーリーを語り始めることだ。**

経験のプラスやマイナスをいちいち測って事実を語るドキュメンタリーのようなストーリーを書くのではなく、人生の素晴らしさについて気分が高揚して楽しくなる魔力を持ったストーリーを語りなさい。そして、結果がどうなるかを観察してごらん。直ちに人生が変化し始めるのがわかって、まるで魔法のようだと感じるだろう。だが、魔法ではない。「宇宙の法則」の力が働くから、そしてその「法則」にあなたが意図的に同調したから、人生は変化するのだ。

自由と引き換えのお金

ジェリー　この本のタイトルは『お金と引き寄せの法則』ですが、本当のテーマはお金だけでなく、人生のすべての領域で豊かさを引き寄せることですね。わたしの子どものころから、わたしたち(アメリカ人)は犯罪と一生懸命に闘ってきました。ところが犯罪は昔より今のほうが多い。最近読んだのですが、アメリカは「自由」世界のどの国よりも刑務所にいる人の割合が大きいそうです。

それから、わたしたちは病気と闘ってきましたが、以前よりももっとたくさんの病院があり、大勢の病人がいます。アメリカ人がこんなに多くの肉体的な苦痛にさいなまれているなんて、今までなかったと思います。

わたしたちはまた世界平和を求めて戦争に反対してきましたし、ついこのあいだ誰もが「（ベルリンの壁がなくなって）とうとう世界が平和になった。素晴らしい」と叫んでいました。ところが、あっという間にまたいくつもの戦争が始まり、今ではこの国の周りにたくさんの壁を築いているほどです。

また、児童虐待や人々の虐待についても懸念されてきましたが、児童虐待に反対すればするほど、児童虐待事件をよく聞くようになっています。

望まないことにストップをかけようといくら努力しても、ちっとも効果がないような気がします。だがこの国は「豊かさ」という面では前進し続けていると思うんです。食糧もお金もたくさんあって、世界に分けてやれるほどですし、わたしが子どものころに比べれば、本当に大勢の人がたくさんの物を手に入れています。だから、前向きな変化もあったわけです。

しかし多くの人たちは、金銭的な豊かさを求めるなかで、お金と引き換えに個人的な自由を相当に失っているのじゃないでしょうか？　自由な時間がたくさんあっても、お金がないから自由な時間を楽しむことができない人たちがいる。そして、お金はたくさんあるけれど、お金を使って楽しむ時間がない人たちがいる。でも、お金がふんだんにあり、そのお金を楽しむ時間も十分にある、という人たちは本当に少ないんです。エイブラハム、あなたがたはこれについてどう思いますか？

エイブラハム　お金がないことにピントを合わせても、時間がないことにピントを合わせても、欲しいものが欠落していることにピントを合わせて、望むものの実現に抵抗していることに変わりはない。時間がないからネガティブな気分になっても、お金が足りないからネガティブな気分になっても、どちらもネガティブな気分でいることで願望の実現に抵抗し、本当に欲しいものを遠ざけている。

しなければならないことやしたいことをするのに時間が足りないと感じると、欠落に向けた関心があなたがたの想像以上に悪い影響を及ぼす。どうにもならないと感じるのは、望みの実現を助けてくれるはずのアイデアや出会いや条件そのほかさまざまな協力的な事柄に抵抗して、それらへのアクセスを自分で拒否しているからだ。時間が足りないと感じると過密なスケジュールに関心が向き、ますますどうにもならないと感じる。これは悪循環だ。そしてその間中、あなたは状況の改善を不可能にする波動を出し続ける。

違うストーリーを語り始めなくてはならない。しなければならないことがこんなにあると思い続けていたら、支援は遠ざかる。「宇宙」の協力はいつでも得られる。「宇宙」はいつでもあなたが思う以上のさまざまな方法で助けようとしているのに、しなければならないことが多すぎると不満を言い続けるあなたは、「宇宙」の協力を拒否している。

お金が足りないと感じると、お金の不足に関心が向くので、もっと多くのお金が入ってくる道が閉ざされる。自分が望むのと反対のほうを見つめながら、望むことを実現させることはできない。まず違うストーリーを語り始めなくてはいけない。豊かさが実現する前に、豊かだと感じる方法を見つけなくてはいけない。

時間やお金の使い方について自分が自由だと感じるようになったら、ドアが開いてあなたを助けてくれる人が現れ、新鮮で生産的なアイデアが生まれ、あなたのためになる状況や出来事が展開する。感じ方を変えると、世界を創造している「エネルギー」にアクセスできる。その「エネルギー」はいつでも、あなたがアクセスするのを待っている。

お金やガンに対するネガティブな気分

ジェリー　それでは、お金についてネガティブな気分でいるためにお金が得られないのと、「ガンになりたくない」と思っていてガンになるのとでは、どんな違いがあるのでしょうか？

エイブラハム　それはこういうことだ。あなたは考えていることのエッセンスを受け取る。だから健康の欠落について考えていれば、健康の欠落が実現する。お金の欠落について考えていれば、お金の欠落が実現する。物事のポジティブな面を引き寄せているかネガティブな面を引き寄せているかは、考えているときにどう感じるかでわかる。

　宇宙には「ノー」は聞こえない。あなたが「ノー、病気は欲しくない」と言うとき、あなたは病気に関心を向けているから、「イエス、望まないものよ、わたしのほうに来なさい」と言っているのと同じだ。

関心を向けるとは、そのエッセンスを招き寄せることだ。「お金が欲しい。でも手に入らないだろう」と言えば、あなたの関心はお金がないことに向いているから、「わたしが望まないお金不足よ、わたしのほうに来なさい」と言っているのと同じことになる。

　お金が手に入る方向で考えていれば、必ず明るくていい気分になるはずだ。お金を遠ざける方向で考えていれば、必ず嫌な気分になる。それで違いがわかる。

「健康の欠落にピントを合わせているとガンになる可能性がある。では、お金の欠落にピントを合わせていても、お金が入ってこないのはなぜか？」とあなたは聞いた。お金（望むこと）を得るのも、健康（望むこと）を得るのも同じだ。ガン（望まないこと）になるのも、お金が入らないのも（望まないこと）同じだ。
何を考えるにしても、どんな言葉を口にするにしても、ポジティブな感情でしなくてはいけない。そうすれば望むことを引き寄せるモードになる。ネガティブな感情がある間は、望まないことを引き寄せるモードになっている。

お金に苦労しない人

（次の例は、エイブラハム－ヒックス・ワークショップの参加者の質問から）

質問　わたしの友人は10年も夫を金銭的にサポートしてきました。その間、彼女は一生懸命に働いて夫の世話をしてきたのですが、お金に苦労することもたびたびでした。結局、自分で稼ごうとしない夫に愛想がつきて、二人は別れました。その夫は自分にとってお金が重要だというようすを一度も見せたことがなかったのに、つい最近100万ドルの遺産を相続したのです。しかも彼は長年支えてくれた元の妻（わたしの友人）にお金を分けようとしません。
お金を大事だと考えて、お金を稼ぐために一生懸命に働いた彼女がろくにお金を得られず、ほとんど働かず、お金を大切に考えていないようだった彼が100万ドル相続するなんて不公平だと思います。どうしてそんなことになるのでしょうか？

エイブラハム（この章の残りはエイブラハムの言葉）「引き寄せの法則」を理解しているわたしたちには、その話は完璧に筋が通っている。その女性は一生懸命に働き、恨みがましい気分で欠乏にピントを合わせていた――「宇宙」はその感情に正確に応えたのだ。夫はのんきで、罪悪感を感じることを拒否し、なんとかなると期待した――「宇宙」はその感情に正確に応えた。

多くの人は、一生懸命に働き、苦労し、代償を払い、苦しみを感じなければならない、そうすればその苦しみにご褒美が与えられるだろう、と信じている。だがそれは「宇宙の法則」に反している。**不幸な旅にハッピーエンドはあり得ない。それは「法則」に反する。**

「引き寄せの法則」に反する事実はかけらもない。その二人を見て、二人の姿勢とその結果を見たあなたにはわかるだろう。一人は苦労し、一生懸命に働いて、社会に教えられたとおりにした――そして望むものを得られなかった。もう一人は苦労を拒否し、気楽な気分でいた――そしてもっと気楽にしていられるリソースを受け取った。

多くの人はこう言う。「それは『宇宙の法則』に合っているのかもしれないが、でも正しいとは思えない」だが、強力な「法則」に自分を合わせれば、それが絶対的に正しいことがよく理解できるはずだ

自分が提示することはコントロールできるのだから、あなたがたが差し出す波動に

「宇宙」が正確に応えてくれることほど公正なことはない。強力な「引き寄せの法則」が波動を出すすべての人に同じように応えてくれる、これほど公平なことはないのではないか？　自分の思考をコントロールできるようになれば、不当だという感覚は消えて、あなたがたが生まれながらに持っている生きる意欲と創造の情熱がわいてくるはずだ。**宇宙のすべては「宇宙の法則」の働きの実例だと考えなさい。**

お金を稼ぐには一生懸命に働かなければならないと信じていれば、一生懸命に働かなければお金は入ってこない。だが、物理的な行動に応じて入ってくるお金は、思考の調整を通じて入ってくるお金に比べればほんのわずかだ。大変な努力をしてもわずかな見返りしかない人もいれば、あまり行動しなくても莫大な見返りがある人もいる。皆さんはずいぶん不釣合いじゃないかと思ったことがあるだろう。だが、両者の行動を比較するから不釣合いだと思うので、「エネルギー」がどれだけ調整されているかということに関しては不釣合いも不当もない。そのことを理解してほしい。

金銭的な成功に必要なのは（ほかのどんな成功も同じだが）一生懸命努力したり行動したりすることではなく、思考を整えることだ。望むことについてネガティブな思考を差し出していながら、行動や努力で相殺しようとしても、それは不可能だ。自分の思考を方向づけることを学べば、真の「エネルギー」の調整が持つ「てこ」の作用を発見できるだろう。

あなたがたのほとんどは、自分が思い切って望むよりももっと大きな金銭的幸運に近づいているのに、そうは思わない。あなたがたは望みが実現するかもしれないと思っても、でも実現しなかったらどんなにがっかりするだろう、とすぐに考える。そんなふうに欠乏の思考をしていれば、お金の面で素晴らしいことを望むことも期待することもできない。そこそこの金銭的な経験しかできないのは、たいていそこに理由がある。

「お金がすべてではない」という考えは正しい。確かに楽しい経験には、必ずしもお金は必要ではない。だが、あなたがたの社会では――人生のいろいろなことがなんらかの方法でお金とつながっているので――ほとんどの人はお金と自由を結び付けている。自由はあなたがたの基本だから、お金と調和することで、ほかのすべての経験にとっても価値があるバランスのとれた足場を確保することができる。

お金を使うのは楽しいか？

ある女性が、自分はお金を使うときいつも落ち着かない気分になる、と言ったが、こういう金銭感を持っている人はとても多い。彼女は時間をかけて相当なお金を貯めたが、それを使おうと思うと、いつも「フリーズ」し、「怖くて、その先に進めなくなる」。

わたしたちはこう説明した。お金が入ってきたのは自分が行動したからであり、いつも同じ行動ができるとは限らないと信じていたら、そういう気分になるのも理解できる。お金にしがみつき、けちけち使ってできるだけ長もちさせたいと思うだろう。だが、足りないという気持ちがあると、経験のなかになかなかお金が流れ込んでこない。

お金を使おうと考えると嫌な気分になるなら、そんな気分でいる間はお金を使わないほうがいい。ネガティブな気分のときに行動してもいいことはない。だが、あなたが嫌な気分になるのは、お金を使うという行動のせいではない。嫌な気分は、お金についての今のあなたの思考が自分の願望の波動と合っていないしるしだ。**不足だという信念は、あなたが持っているもっと広い知識と絶対に一致しない。なぜなら、不足などはないから。望む何かが欠けていることに関心を向けると、いつもネガティブな気持ちが起こる。それはあなたのナビゲーションシステムが、豊かさや幸福というもっと広い基本的な理解から外れているよ、と知らせているのだ。**

その嫌な気分を和らげて、希望に、さらに前向きの期待に変える方法を探しなさい。そうすれば気分のいい安定した場所が開けて、「フリーズ」する気分が自信と情熱に変わるだろう。お金の不足にピントを合わせていても、あるいはあと何年しか生きられないと思っていても（だから一日たつたびに人生の終わりに一日近づくと思っていても）、いずれにしても下降していくという気分は、あなたが永遠の存在であるというもっと広い理解と衝突する。

一日あるいは一週間、一年ももつほどの空気を肺に吸い込もうとしても、それは不可能だが、吸ったり吐いたりして呼吸することは楽にできるし、いつだって望むだけ、必要なだけの空気を吸うことができる。それと同じで、永遠の豊かさを期待することを覚えれば、お金は楽々とあなたの経験を出たり入ったりして流れる。

あなたは望むだけのお金を受け取ることができる。お金が経験に流れ込んでくるのを「許容・可能」にするだけでいい。そして、お金が流れ込んできたら、穏やかに流れ出ることも許容・可能にすること。呼吸する空気と同じで、いつだってもっとたくさん入ってくるのだから。もうお金が入ってこないだろうと、（息を吐かないでいようとがんばるように）お金を守ろうとする必要はない。お金はまだまだ入ってくる。

人々はときどき不足や欠乏のストーリーを語り、自分が経験したり目撃したり聞いたりした不足という「現実」を指摘する。確かに、望むいろいろなことについて不足を経験している人たちの例はたくさんあるだろう。だが、そういう不足の経験は豊かさが不可能だからではなく、豊かさを許容・可能にしないから起こる、ということをわかってほしい。

不足のストーリーを語り続ければ、豊かさへの願望と衝突し続けるばかりだ。そして不足と豊かさが両方実現することはあり得ない。望まないことにピントを合わせておいて、望むものを受け取ることはできない。お金について嫌な気分になるストーリーにピントを合わせていたら、明るくていい気分になることは経験できない。違う結果を得たければ、まず違うストーリーを語らなくてはいけない。

わたしたちなら、まずこう言う。「わたしは明るくていい気分になることを望む。生産的で拡大していると感じることを望む。わたしの思考はわたしがいいと考えるすべてを引き寄せるベースだし、そのいいことには心地よく楽しく暮らすのに十分なだけのお金や、健康や、刺激的で向上心に富んだ楽しい人たちとのつきあいも含まれている」

まず自分が望むストーリーを語り、それからその願望に合致したポジティブな細部を付け加えていきなさい。それからそのポジティブな期待を、「こうなったら素晴らしいな……」と楽しい気分でいろいろな事例を考えることで盛り上げなさい。

例えばこんなふうに言うといい。「わたしにはいいことだけが起こる。すべての答えがわかっているわけではないし、どんな段階を踏んで実現するのかもわからないし、自分に向かって開かれるすべてのドアを知っているわけでもないが、時間と空間を進んでいけば道は自ずと開けることを知っている。進んでいけばいろんなことがわかってくることを知っている」明るくていい気分になるストーリーを語るたびに、明るくていい気分になるし、いろいろな面で人生はよくなっていく。そうやってよくなればなるほど、ますますよくなっていく。

引き寄せの作用点をどう変えるか？

ときどき人はこんな心配をする。自分は長い間、望まないストーリーを語ってきた。もう人生の時間があまり残されていないから、お金の不足にピントを合わせていた年月の取り返しはつかないのではないかと。だが、心配はいらない。

確かに昔にさかのぼってネガティブな思考を取り消すことはできないが、たとえできたとしても、そんなことをする必要はない。あなたのパワーはすべて「今」にあるのだから。今すぐに明るくていい気分になる思考を見つければ、引き寄せの作用点も——たった今！——変化する。何年も前に抱き始めたネガティブな思考が今も人生に影響しているように見えるのは、そのネガティブな思考や信念をずっと引きずっているからだ。信念とは抱き続けている思考にすぎない。信念はただの慢性的な思考パターンで、あなたには——少し努力すれば——新しいパターンに変えて、新しいストーリーを語り、異なる波動を達成し、引き寄せの作用点を変化させる能力がある。

持ち歩いている100ドルで一日にどれほどたくさんの物が買えるかに気づくだけで、金銭的な引き寄せの作用点は劇的に変化する。この簡単なプロセスで「波動のはかり」のバランスを変化させ、お金を引き寄せる具体的な成果を上げられるはずだ。頭のなかでお金を使ってみて、もっといいライフスタイルを想像する。いくらでもお金が使えたらどんな気分だろうと想像し、そこからわき起こる自由な気分を意図的に味わってみること。

「引き寄せの法則」は、今生きている現実ではなくあなたの波動に働く。だが今生きている現実に合った波動を出し続けていたら、何も変わりはしない。**自分が望むライフスタイルをビジュアライゼーションして、ホッとした感情を得られるまでそのイメージに関心を向け続けていれば、引き寄せの波動ポイントは簡単に変化する。このホッとした感情こそが、波動の変化が本当に起こったというしるしなのだ。**

わたしの基準を決めるのはわたし

お金が足りないと意識していると、見るものすべてが欲しくなることがある。抑えきれない欲望がわき起こり、それでも使えるお金がないのでますます苦しくなったり、我慢できずにお金を借りて使って、借金を増やしてますます落ち込んだりする。だがこういう状況でお金を使いたいという願望は、実はシグナルとして間違っている。そういうものが本当に欲しいわけではないのだ。**物を1個買って持ち帰っても欲望は満たされない。あなたが感じているのは欠乏感で、それを満たすには「本当の自分」と**

波動を合致させるしかない。

そんなとき、あなたは自分が不安定だと感じているが、「本当の自分」は絶対的に安定している。あなたは自分をダメな人間だと感じているが、「本当の自分」はダメな人間なんかではない。あなたは欠乏を感じているが、「本当の自分」は豊かだ。自分をあなたが激しく望んでいるのは波動の変化であって、何かを買う能力ではない。自分を「本当の自分」と常に調和させておけるようになると、望めばお金はどんどん経験のなかに流れ込んでくるし、欲しいものに多額のお金を使っても、そのときの気分は以前とはまったく違うはずだ。必要があるから、欠乏感があるから、買い物でそれを満たすのではなく、何かに対する満ち足りた好奇心を感じるのだ。すると、その対象が簡単に経験のなかに入ってくる。そして、そのプロセスのすべてが――願望の始まりから経験のなかで願望が充足されるまでのすべてが――満足と喜びをもたらしてくれるだろう。

自分がどれくらいお金を持っているべきかを――あるいはそのお金をどう使うべきかを――人に決めてもらうことはない。それを正確に決められるのはあなただけなのだから。「本当の自分」と調和し、生きていくなかでこれが欲しいと明確になったものが経験のなかに流れ込んでくることを可能にすればいい。

「いざというときのための貯金」

ある人がこんなことを言った。いざというときのために貯金するのは、「災厄を計画する」のと同じで、もっと安心していられるように努力するという行為は逆に不安感につながる、なぜなら望まない災厄を引き寄せるから、とある先生に教えられたと。

わたしたちはこう話した。その先生が、何かに関心を向けるとそのエッセンスが引き寄せられてくる、と言ったのは正しい。だから将来何か困ったことが起こるかもしれないという考えにピントを合わせていれば不安になるし、その不安は心配事を引き寄せているしるしだ。だが、例えば金銭面で将来何か困ったことが起こるかもしれないなと少しだけ考え、それをきっかけに自分が望む金銭的な安定について考えるという場合もある。そして、自分が望む安定にピントを合わせていれば、安定した状況を確かなものにする行動を思いつくだろう。

貯金する、あるいは投資するという行動それ自体は、ポジティブでもネガティブでもない。だがその先生が、不安定な足場から安定という場所に行くことはできないと言ったのは正しい。わたしたちが勧めるのは、安定という明るくていい気分になることに心のピントを合わせ、明るくていい気分からインスピレーションを受けたポジティブな行動をとることだ。明るくていい気分になれることはなんでもあなたの願望と調和している。嫌な気分になることは願望と調和していない。ごく単純なことだ。

お金を欲しがるなんて物質的で、スピリチュアルではないから、お金を欲しがるべきではない、と言う人もいる。だがあなたがたは魂が物質化した物質の世界に存在していることを思い出してほしい。あなたがたは魂であるものと物理的なものや物質が混ざり合った物質的な星・地球に住む物質的な身体として存在している。あなたがたは自分をスピリチュアルな自分という面から引き離すことはできないし、物質世界の身体として存在する間は、物理的、物質的な面から自分を引き離すこともできない。あなたを取り巻く物質的な素晴らしいものは同時にスピリチュアルでもある。

豊かさ、お金、金銭的な幸福についての新しいストーリー

「引き寄せの法則」はあなたが今生きて継続させている現実に反応するのではなく、あなたが発している思考の波動パターンに反応する。だから――お金に関して――今の現実がどうかではなく、望ましい自分についてのストーリーを語り始めれば、思考のパターンが変化し、それに従って引き寄せの作用点も変化する。

「今の状況」は、あなたが「今の状況」についてのストーリーをいつまでも繰り返しさえしなければ、何が引き寄せられてくるかに影響しない。望む人生について考え、口にしていれば、現在がジャンプ台になってもっと多くが引き寄せられてくる。だが

「今の状況」について語り続けていれば、現在というジャンプ台から同じ状況に着地するだけだ。

そこで、次の問いに答えてからいくつかの例を読んで、お金に関する自分の新しいストーリーはどんなものになりそうかを考えてほしい。それからお金についてあなた自身の新しいもっといいストーリーを語ろう。そうすれば、ほどなく確実にそのストーリーが現実化するような状況や出来事が起こり始めるのがわかるだろう。

・あなたは今、欲しいだけのお金があるという経験をしているだろうか？
・「宇宙」は豊かだろうか？
・あなたには金銭的に豊かになるという選択肢があるか？
・この人生で受け取れるお金は、あなたが生まれる前に決まっているのだろうか？
・あなたは今、思考の力を通じてお金が流れ込むように仕向けているか？
・あなたには金銭的な状況を変える能力があるか？
・あなたは自分の金銭的な状況をコントロールしているか？
・あなたはもっとお金が欲しいか？
・今まで読んできたことを知った今、金銭的な豊かさは保証されているだろうか？

「古い」ストーリーの例

「欲しいのに買えないものがたくさんある。前よりもたくさん稼げるようになったけれど、それでも金銭的には前と同じように苦しい。どうしても前進できないようだ。今までずっとお金の心配をしてきた気がする。両親は一生懸命に働いていたが、母はいつもお金の心配をしていたし、自分もそういう面を受け継いでいるのだろう。だけど、そんな面は受け継ぎたくない。世のなかにはお金の心配をしない本当のお金持ちがいるのだろうが、自分の周りにはいない。わたしが知っている人はみんな苦労しているし、これからどうなるのかと心配している」

このストーリーがまず望まない現在から始まっていることに気づいてほしい。それからその状況を正当化し、過去を振り返って現在の問題をさらに強調して、恨みがましい気分を増幅させている。次に、もっと広いところから不足ということを考えている。ネガティブなストーリーを語りだすと、現在の視点から過去へ、あるいは未来へと移っても、「引き寄せの法則」によって欠乏という同じ波動パターンがいつまでも続く。欠乏にピントを合わせて不満を言っていると、引き寄せの波動ポイントが確立されるから、現在、過去、未来のどこにピントを合わせようとも不満という思考しか浮かばない。

意図的に新しいストーリーを語る努力をすれば状況は変わる。新しいストーリーは新しい思考パターンを確立し、過去から未来に向けた新しい引き寄せの作用点が今生まれる。今いるところで肯定的な側面を探すというシンプルな努力で新たな波動が設定され、今すぐに明るくていい気分になるだけでなく、自分にとってうれしい思考や人や状況や物がたちまち引き寄せられてくるだろう。

「新しい」ストーリーの例

「お金は呼吸する空気のようなものだ、という考えは気に入った。もっとたくさんのお金を吸ったり吐いたりできる、という考えはとてもいい。たくさんのお金が自分のところへ流れてくると想像すると楽しい。お金に関する気分が入ってくるお金に影響することがよくわかる。練習すればお金に対する姿勢を(ほかのどんなことに対する姿勢も)コントロールできると理解できて幸せだ。豊かさのストーリーを語れば語るほど、明るくていい気分になっていくのがわかる。

自分の現実を創造するのは自分で、自分の経験に流れ込んでくるお金は、自分の思考と直接につながっていると知ってよかったと思う。思考を調整すれば、入ってくるお金も調整できると知ることができてうれしい。

創造の方程式が理解できたから、そして考えることのエッセンスを受け取るのだということが理解できたから、またお金にピントを合わせているのかお金の欠乏にピントを合わせているのかは自分の感じ方で見分けられるというもっと大切なことが理解できたから、きっと豊かさに向けて思考を調整できるし、そうすればもっとたくさんのお金が力強く流れ込んでくるという自信がついた。

周りの人たちはお金や財産、消費、貯蓄、慈善、お金を与えること、受け取ること、稼ぐことなどについていろいろな見方をしているが、わたしがその人たちの意見や経験を理解する必要はない。そういうすべてを整理して理解する必要がないとわかると、ホッとする。お金についての自分の思考をお金に関する願望と調和させる。それだけでいいし、気分がよければ調和しているのだとわかってとてもうれしい。

ときにはお金についてネガティブな気分になってもかまわない、とわかってよかった。だが、すぐにもっと気分のいい思考のほうへ転換しよう。明るくていい気分になる考えは、当然ポジティブな結果を運んでくれると知っているからだ。

思考を変えても瞬時にお金が現れるわけではないだろうが、いい気分になる思考を心がけていれば確実に状況はよくなっていくはずだ。お金についての調整ができたことを示す最初のしるしは、自分が明るくていい気分になり、ムードもよくなり、態度もよくなることだろう。そして、それに続いて実際の金銭的な状況も変化するはずだ。

わたしは確信している。

自分がお金について考えたり感じたりしていることと、実際に人生に起こることには絶対的な関係があることがわかった。「引き寄せの法則」は間違いなく確実に思考に働くことが証拠だてられたし、思考がよくなればもっとたくさんの証拠が見られるだろう。

自分の思考に意図的でいると、「エネルギー」の力強い「てこ」の作用が感じられる。実はそのことは多くのレベルで既に知っていたのだと思うし、自分の力や重要性や価値について核心的な信念に立ち返れて、とてもうれしい。

わたしはとても豊かな人生を生きている。人生経験が求めるように仕向けてくれたことはなんでも実現できるとわかって、とても明るくていい気分だ。自分が限りない存在であることを知ってうれしい。

お金や物が実現するまで待たなくても、明るくていい気分になれることがわかって、とてもホッとした。それに、明るくていい気分でいれば望むものや経験やお金が流れ込んでくることが理解できた。

呼吸する空気のように簡単にお金も出たり入ったりする。わたしの願望がお金を引き寄せ、気楽な思考がお金を流れ出させる。入って、出る。入って、出る。すべての流れはみんなそうだ。そしてどれも楽々と流れる。何を望んでも、いつ望んでも、どんなに望んでも同じ――入っては出るのだ」

いいストーリーを語るのに、正しい方法も間違った方法もない。過去についてでも、現在についてでも、将来の経験についてでもかまわない。重要な基準は一つ、もっと明るい気分になるもっといいストーリーを語ろうという意志をはっきりと持つことだ。一日中、明るくて気分のいいショートストーリーをたくさん語っていれば、引き寄せの作用点が変化する。あなたが語るストーリーが人生のベースであることを忘れないように。だから自分が望む人生のストーリーを語りなさい。

Part3 — 健康を維持する方法

思考が身体的な経験を創る

ほとんどの人は「成功」をお金や資産の獲得や所有物と関連させて考えている。だがわたしたちは、楽しい状態でいることこそがいちばん偉大な成功だと考えている。お金や素晴らしいものを手に入れることは確かに楽しいが、楽しい幸せな状態を維持するうえでは、気分のいい身体を実現することのほうがはるかに大きな要素になる。

人生のどの部分も、身体を通じて経験される。明るくていい気分でいるときにはすべてがよく見える。身体の具合がどこか悪くても明るい姿勢でいることは確かに可能だが、しかし明るい姿勢を持ち続けるには、気分のいい身体が力強いベースとなる。それに、感じ方が思考や姿勢に影響するのだから、また思考と姿勢は引き寄せの作用点とイコールで、引き寄せの作用点は人生経験の展開とイコールだから、**気分のいい身体を実現する以上に大切なことはあまりない。**

不満についての不満も不満

多くの人たちは、若くて健康なら楽観的になるのは簡単だが、年をとったり病気になったら難しいと不満を言う。だが、年齢や病気を口実に思考を制限し、それで改善や回復を妨げてはいけない。

ほとんどの人は、思考にどれほど大きな力があるのかがわかっていない。不満のタネを見つけ続けていると、身体の調子も悪くなることに気づいていない。身体の痛みや慢性的な病気について不満を言うより先に、そもそもほかのたくさんのことについて不満を言っていたことに気づいていない。不満の対象があなたを怒らせた人であっても、裏切った人であっても、間違ったことをしていると思われる人であっても、あるいは自分の身体の不調であっても同じだ。不満は不満で、回復を妨げる。

だから、明るくていい気分で、その状態を維持しようと考えているか、あるいは身体の調子がどこか悪くて元気になりたいと考えているか、どちらにしてもプロセスは同じだ。**明るくていい気分になる方向へ思考を向け、「源（ソース）」と波動が一致したときにだけ生まれるパワーを発見しなさい。**

この本を読んでいくうちに、生まれるはるか前に知っていたことがよみがえり、「法則」やプロセスと共鳴して、自分には力があると感じるだろう。そうなれば、健康で気分のいい身体を実現し維持するのに必要なのは、思考と感情を意図的に方向づけることと、明るくていい気分でいたいと真剣に望むことだけだ。

気分のいい身体

身体の調子がよくなかったり、自分が望む外見ではないと感じていたら、人生経験のすべての面に影響する。だからわたしたちは、バランスがとれた心地よい元気な身体でいることがとても大切だ、と強調する。この「宇宙」のなかで、あなたがた自身の身体ほど思考に敏感に反応するものはない。だから、思考が整えられればたちまち反応が現れ、結果が出る。

本当はあなたがたがいちばん簡単に確実にコントロールできるのが、身体的な「よいあり方(ウェル・ビーイング)」だ。なぜなら、自分自身のことなのだから。だが、あなたがたはこの世界のすべてを身体がどう感じるかというレンズを通して解釈しているので、身体のバランスが崩れると身体だけでなく人生のもっと大きな面に悪影響を及ぼしかねない。

健康でありたい、明るくていい気分になりたいという望みがいちばん明確になるのは、病気で気分が悪いときだ。だから、病気という経験は健康を望むロケットを送り出す力強い発射台になる。病気にかかって元気になりたいと望むなら、元気になるという考えにひたすら関心を注げば、すぐに元気になれるだろう。しかし、たいていの人は今気分が悪いので、そこに関心を向けてしまう。病気になれば自分がどう感じているかに目が向くのは当たり前だし、それによって病気は長引くだろう。しかし、そもそも病気になったのは健康の欠落に関心が向いていたからではない。そうではなくて、「望むいろいろなことが満たされていない」という面に関心が向いていたからだ。

いつも望まないことに関心を向けていると、身体的な幸福も気になるほかの事柄の解決策も妨げられる。身体的な不調に関心を向けるのと同じくらいの熱心さで、身体的な幸福を経験しようという考えに関心を集中すれば、回復が早まるばかりでなく、バランスのとれたいい体調も簡単に実現する。

言葉ではなくて、人生経験が教える

いくら真実を正確に説明する言葉でも、言葉を聞くだけでは理解できない。だが注意深く説明された言葉に、「宇宙の法則」に常に合致している人生経験が重なれば理解できる。この本と人生経験を通じて、あなたが経験するすべてがどのように起こるのかを完璧に理解し、人生のすべての側面、特に身体に関する側面を完璧にコントロールできるようになってほしい、とわたしたちは願っている。

身体的な状況は望みどおりかもしれない。それなら今の身体にピントを合わせ、うれしい側面を高く評価し続けなさい。そうすればその状態が維持できるだろう。だが外見やスタミナや体調などを変えたいと思うなら——身体についてだけでなく、悩みのタネになっているあらゆる事柄について——異なるストーリーを語り始めることが大切だ。ポジティブな面にピントを合わせ、いろいろなことについて明るくていい気分になれば、きっと内側から情熱がわいてきて、「宇宙」のパワー——世界を創造しているパワー——が身体を流れ出すのを感じるだろう。

あなたの経験を創造するのはあなただけ。ほかには誰もいない。あなたに起こるすべてはあなたの思考のパワーで引き寄せられてくる。

情熱を感じることにしっかり焦点を定めていると、さらに大きなパワーが得られるし、素晴らしい成果を上げられる。ほかの考えは重要かもしれないし、創造の可能性を持っているかもしれないが、たいていは既に創造したことを維持するだけで終わる。だから、多くの人たちはいつも同じ——力強くもなければ、強い感情も伴わない——思考を差し出すことで、物質世界の望まない経験を維持し続けている。言い換えれば、不公平だと思うことについて、あるいは自分が同意できない望まないことについて、いつまでも同じストーリーを語り続け、そのせいで望まない条件を持続させている。

関心を持つすべてのことについて、もっと明るくていい気分になるストーリーを語ろ

うというシンプルな意志を持つだけで、身体に大きな影響を及ぼせる。しかし、言葉では教えられないから、しばらくは違うストーリーを語るように心がけて、それで何が起こるかを観察してみてほしい。

「引き寄せの法則」はあらゆる考えを拡大させる

「引き寄せの法則」とは、それ自身に似たものを引き寄せる、ということだ。言い換えれば、どの瞬間も思考はそれに似た別の思考を引き寄せる。だから、楽しくないことを考えていると、たちまち楽しくない考えがもっとたくさん引き寄せられてくる。そんなときはこの瞬間の経験だけでなく、それと波動が合う過去の経験のデータも引き出していることに気づくはずだ。そうなると「引き寄せの法則」によってネガティブな思考がどんどん拡大し、ネガティブな気分も大きくなる。

まもなくあなたは、ほかの人との会話でも楽しくないことについて話している自分に気づくだろうし、ほかの人たちも過去を探ったりして楽しくないことを増やし、ほんの短い時間にそれまで考え続けていたことについてたくさんのデータを引き寄せ、ついに思考のエッセンスが経験に現れるという証拠を目の当たりにするはずだ。

望まないことは何かを知ると、何を望むかがはっきりするのは自然なことだ。それに解決策を探す前に問題を明らかにするのは全然悪いことではない。だが、多くの人たちはいつのまにか解決志向ではなくて問題志向になり、問題を探ったり説明したりすることで問題を長引かせる。

ここでも、違うストーリーを語ることがとても大切だ。問題志向のストーリーではなく、解決志向のストーリーを語りなさい。**病気になるまで待ってから肯定的な側面にピントを合わせようとすることは、心地よい場所から幸せのストーリーを語るのに比べてずっと難しい。だがどんな場合でも、新しいストーリーはいずれは違う結果をもたらしてくれる。それ自身に似たものが引き寄せられてくるからだ。だから、こんなふうに生きたいと思うストーリーを語れば、いずれはそのとおりに生きられるだろう。**

自分は既に病気で、病気に関心が向いているから、そのために病気が長引いて回復しないと心配する人がいる。確かにそのとおりだ。その人たちが「今の状況」にしか焦点を定められないのなら、その心配も正しいだろう。だが、今起こっている以外のことを考えることは可能だから、物事は変化し得る。現在の問題に焦点を定めていたのでは変化は起こらない。違う結果を得るには、求めるポジティブな結果に焦点を定めなくてはいけない。

「引き寄せの法則」はあなたの今の現実にではなく、あなたの思考に反応する。思考を変えれば現実の変化はついてくる。今すべてがとても快調なら、今起こっていることに焦点を定めれば快調な状態が続くだろう。だが、うれしくないことが起こっているなら、そのうれしくないことから関心をそらし、ほかに向ける方法を見つけなければいけない。
あなたには――自分自身についても、身体についても、自分に起こる事柄についても――今起こっていること以外の方向に思考を向ける能力がある。起こりそうなことを想像したり、過去に起こったことを思い出したりする能力がある。そのとき、考えたり話したりすると明るくていい気分になることを意図的に探せば、素早く思考のパターンが変わるし、波動も変わり、いずれは人生経験も変わる。

幸福を目指す15分

つま先に激痛が走っているとき、健康な足を想像するのは容易ではないが、できるだけ努力をして痛むつま先から気をそらすことが大切だ。しかし、身体的不調が激しいときには、幸福をビジュアライゼーションしようとしてもあまり効果が上がらない。いちばんいいのは、日常的に気分がいいときだ。言い換えれば、朝がいちばん気分がいいなら、その時間を選んで新しいストーリーのビジュアライゼーションをしてみる。ゆっくりとお風呂に入ったあとがいちばん気分がいいのなら、そのときにビジュアライゼーションをする。

15分くらい時間を割き、目を閉じて現実からできるだけ離れよう。じゃまが入らない静かな場所を見つけ、最高に元気な自分を想像する。きびきびと歩き、深く呼吸し、芳しい大気を楽しむ自分を想像する。穏やかな坂を元気よく上っていき、自分のスタミナを思ってほほ笑むところを想像する。屈伸運動をして身体のしなやかさを楽しんでいる自分を想像する。

その時間は、身体を楽しみ、元気さとスタミナと柔軟性と美しさを喜ぶことだけを目的に、楽しいシナリオを思い描こう。なんらかの欠陥を矯正しようという目的ではなく、ただビジュアライゼーションをする楽しみのためにビジュアライゼーションをすると、思考はより純粋になり、したがってより力強くなる。なんらかの欠陥を矯正しようとしてビジュアライゼーションをすると、方程式の欠乏の側が働いて、思考は薄まってしまう。

ときどき人は、自分はとても長い間願望を抱いてきたのに実現しない、だから、「引き寄せの法則」は自分には働いていない、と言う。しかし、それは願望が実現していないということを強く意識する場所から改善を望んでいるからだ。思考を転換して願望の方向に焦点を定めるのには時間がかかるが、そのうちにごく自然にできるようになる。そしていつでも簡単に新しいストーリーを語れるようになるだろう。

時間をとって自分の身体についてポジティブな想像をすると、その気分のいい思考が圧倒的になり、そうなると身体的な状況がそれについてくる。今の状況にだけ焦点を定めていたのでは何も変わらない。

新しいストーリーを想像し、ビジュアライゼーションをし、言葉にすれば、やがてはあなたがその新しいストーリーを信じるようになる。そうなれば、すぐに新しいストーリーが実現しつつあるという証拠が経験のなかに流れ込んでくる。信念は抱き続けている思考にすぎないから、信念が願望と合致すれば必ず願望が実現する。

あなたとあなたが望むものの間に立ちはだかっているのは、あなたの思考パターンだけである。身体がどんなに衰えていても、どんな状態でも、きっとよくなる。あなたがたの経験のなかで、身体ほど思考パターンに迅速に反応するものはないのだ。

他人の信念に縛られない

正しい方向にピントを合わせようと少し努力すれば、素晴らしい成果を達成できる。やがては、焦点を定めて波動を調和させれば自分はなんにでもなれるし、なんでもできるし、なんでも所有できることを思い出すだろう。

あなたがたは「見えない世界」の視点からこの物質世界にやってきて、物質世界の身体に宿ったのであり、とても明確な意図を持っていた。ここにやってくる前に物質世界の経験の細部まで決めていたわけではないが、元気な身体を持ち、その元気な身体で人生経験を創造しようという意図はとてもはっきりしていた。そして、あなたがたはとても大きな情熱を抱いてやってきた。

小さな赤ん坊の身体でここに着いたとき、あなたがたは物質世界よりも「内なる世界」に近かったし、幸福や力強さの感覚もとても強かった。だが時間がたち、物質世界のほうにピントを合わせていくうちに、幸福との強いつながりを失った人たちを観察し始め、そして——少しずつ——あなたがたの幸福の感覚も薄れ始めた。

この物質世界に生まれても「本当の自分」や絶対的な「幸福」とのつながりを持ち続けることは可能だ。だがたいていの人は、この時空という現実にピントを合わせると、そのつながりを失う。個人としての幸福の認識が薄れるいちばん大きな理由は、周りの人たちを喜ばせる方法を見つけなさいと教えられることだ。**両親や教師はたいていは善意なのだが、それでもあなたが自分自身を喜ばせるより周りの人たちを喜ばせるほうを重視する。だから、ほとんどの人は社会に適応していく過程で、自分自身の「ナビゲーションシステム」から引き離され、自分の道を見失う。**

ほとんどの社会は行動を最優先せよと要求する。波動の調整や「内なる世界」とのつながりを考えなさいと励まされることはあまりない。そこで、ほとんどの人はいつの間にか、他人に認めてもらえるかどうかで行動を決めるようになる。そのために他人に最も尊敬される行動に関心を向けるという間違いを犯し、本当の自分との調和を失い、経験のなかのすべてがつまらないものになっていく。

しかし、あなたがたはこの驚くべき多様性を持った物質世界に情熱を持ってやってきた。コントラストが持つ価値を理解し、それをもとに自分の経験を築くことを知っていた。自分に開かれた多様な選択肢のなかの何を望むのか、経験を通じて知るのだと知っていた。

自分が望まないことを知ったとき、自分が望むことがよくわかる。だが多くの人たちは、最初の一歩として何を望まないかを明確にしたあと、何を望むのかに目を向けて波動を調和させるのではなく、望まないことについて語り続ける。そこで、だんだん生まれ持ったバイタリティが衰えていく。

時間は十分にある

思考のパワーを理解せず、思考のパワーを生かすために時間をかけて思考を調和させることもしないでいると、行動のパワーだけで何かを創造しなくてはならなくなる。だが、行動のパワーは思考のパワーに比べればずっと小さい。だから、いくら一生懸命に行動しても望むことが達成できず、もうダメだ、自分には達成できないと感じる。人によっては、もう時間が残っていないから、自分が夢見たやりたいことをして、所有したいものを手に入れることはできないと思う。だが理解してほしい。思考の焦点を定めるというパワーを使い、世界を創造している「エネルギー」と意図的に調和するように心がけていれば、素晴らしい「てこ」の作用が働いて、それまでは不可能だと思っていたことがすぐに実現するのだ。

必要な調和を実現すれば、あなたがたはなんにでもなれるし、なんでもできるし、なんでも手に入れられる。そのときあなたの人生経験は、あなたが創造の「エネルギー」と調和している証（あかし）になる。その証は、物事が実現する前に、まず明るくて前向きな感情という形で現れる。それが理解できれば、願望の実現が近づいてくるまでコースを外れずにいられるだろう。**「引き寄せの法則」によって「それ自身に似たものが引き寄せられる」あなたがどんな状態でいても――どんなふうに感じていても――それと同じものがもっとたくさん引き寄せられてくる。**

何かを望み、願うことは、それが実現すると信じていればいつでも楽しい。だが、実現を疑いつつ願っていると、非常に嫌な気分になる。何かを望みその実現を信じること、それが調和で、何かを望みつつ実現を疑うのは調和ではないことを理解してほしい。

望み、信じることが調和である。

望み、期待することが調和である。

望まないことを予想するのは調和ではない。

調和しているかいないかは、自分で感じ取れる。

どうして完璧な身体を望むのか？

あなたがたは不思議に思うかもしれないが、「見えない世界」のルーツとそのルーツとの「永遠の結び付き」をまず説明しなければ、あなたがたの物質的な身体について話をすることはできない。なぜなら物質世界の身体にいるあなたがたは「内なる存在」の延長だからだ。簡単にいえば、最高に健康で幸せな状態でいるには「内なる存在」と波動を調和させなければならないし、そのためには自分の感情や気分に気づいていなくてはならないのだ。

あなたがたの体調は、「内なる存在」「源（ソース）」の波動との調和に直接関係する。あらゆることに関するすべての思考は、その調和にポジティブに、あるいはネガティブに影響する。言い換えれば、自分の感情をきちんと認識して、明るくていい気分がするほうへ意図的に思考を向けなければ、健康な身体を維持することはできない。

明るくていい気分でいることが自然なのだということを思い出し、考えていることのポジティブな面を見つける努力をすれば、「内なる存在」の思考と調和する思考が次々に引き寄せられる。これは身体にとってとても素晴らしいことだ。いつも明るい考え方をしていれば、身体も元気で健康になる。

もちろん感情には――非常に嫌な気分から非常に明るい気分まで――大きな幅があ

るが、どんなときでも何にピントを合わせていても、**実際には「もっと明るい気分」か「もっと嫌な気分」かという二つの選択肢しかない。**だから本当は二つの感情しかないと言ってもいい。その二つの選択肢のうち、もっと明るい気分を意図的に選べば、「ナビゲーションシステム」を効果的に活用することになる。「ナビゲーションシステム」を活用していると、「内なる存在」と正確に波動を合わせられるようになる。それができたとき、身体は元気で健康になる。

永遠の「内なる存在」を信頼する

「内なる存在」とは、あなたがたが何千回も生きるなかで進化し続けてきた「源（ソース）」の部分のことだ。そして、変化したり仕分けしたりするという経験の一つひとつで、あなたがたの「源」は選択肢のなかでいちばん明るくていい気分を常に選んできた。つまり、あなたがたの「内なる存在」は永遠に「愛」「喜び」「すべてのよいもの」に自分を調和させている。だから、あなたがたは人や自分を愛するほうが、欠点を見つけるよりも楽しい。楽しいというのは、「源」と調和している証拠だ。「源」と調和しない思考を選ぶと、不安や怒りや嫉妬などの感情が起こる。こういう感情はあなたの波動が「源」とずれている証拠だ。

「源」は決してあなたを裏切らず、常に幸福の波動を送ってくる。だから、ネガティブな気分になったら、それはあなたが「源（ソース）」や「幸福の流れ」へのアクセスを阻んでいるということだ。身体や人生、仕事、かかわりのある人々について、明るくていい気分になるストーリーを語れば、あなたのほうへいつも流れている「幸福の流れ」とつながっていられる。そして、願うことにピントを合わせ、明るくていい気分でいれば、世界を創造しているパワーにアクセスして、そのパワーを望みの実現へと向けられる。

重大なけがと思考の関係

ジェリー　重大なけがも病気と同じやり方で創造されるのですか？　そして思考を通じて解決できるのでしょうか？　それとも長い思考の流れから生じるのではなく、一瞬の事故で何かが壊れるようなものですか？

エイブラハム　一瞬の事故によるけがも、ガンのような病気による傷害も、どちらも思考を通じて生み出される。そして、治癒も思考を通じて実現する。

いつも明るいことを考えていれば体調はいいし、いつもストレスになる恨みがましいことや、憎悪や不安をかきたてることを考えていれば、病気が促進される。結果が（転んで骨折するというように）突然現れるように見えても、（ガンのように）ゆっくり現れても、人生は常に思考の波動と合致している。

骨折でも内臓の病気でも、いったん体調が悪くなると、「内なる存在」と合致した明るくていい気分になる思考をすぐに見いだすわけにはいかないだろう。言い換えれば、事故や病気の前に「健康」と調和した思考を選んでいなければ、不調や苦痛や恐ろしい診断にぶつかったとき、直ちにその調和を見いだすことはできない。

ほどほどの健康から素晴らしい健康を達成するほうが、ひどい体調不良からいきなり素晴らしい健康を実現するよりもずっとたやすい。だが、人生の望まない側面から関心を引き離して、もっと明るい側面にしっかりと焦点を定めることさえできれば、いつだって今いる場所から望む場所に行くことができる。問題は何に焦点を定めるかだけなのだ。

恐ろしい診断や重大なけがが強力な触媒となって、明るくていい気分になることにしっかり関心を向けようという気になる場合がある。実際「意図的創造」の優れた学習者のなかには、恐ろしい診断を受け、もう手の施しようがありませんと医師に告げられて、（ほかに選択肢がなくなり）今では意図的に思考の焦点を定めているという人たちがいる。

興味深いことに、ほかに選択肢がなくなるまでは本当に効き目があることを実行しない人が多い。あなたがたが行動志向の世界に順応していて、行動こそ最初で最善の選択肢だと思っていることはわたしたちも理解している。わたしたちは行動するなと言っているのではなく、まず明るくて気分のいい思考を見つけ、それから思いつく行動をしなさいと勧めているのだ。

生まれつきの病気も波動で解決できるか？

ジェリー　生まれつきの──もって生まれた──病気も思考で解決できますか？

エイブラハム　できる。あなたがたは今どこにいようと、望む場所に行くことができる。現在は未来へのジャンプ台にすぎないことを理解すれば、どんなに望まないことからでも、すぐに望む方向へ進むことができる。

この人生に含まれているデータがきっかけでなんらかの願望が生まれるなら、それを実現する手段は用意されている。だが、それには──今の状況ではなく──望むことに焦点を定めなくてはならない。そうしないと願望の実現には進めない。ただし、自分の信念にないことは創造できない。

病気が次々に現れるのは？

ジェリー　昔は（結核やポリオなどのような）重病がありましたが、最近はほとんど聞かなくなりました。でも病気には事欠きません。今では心臓病やガンがよく話題になりますが、昔はあまり聞きませんでしたね。あのころニュースになるのは梅毒や淋病でした。それも最近は聞きませんが、代わりにエイズやヘルペスがニュースになります。どうしていつも新しい病気が現れるように見えるのでしょうか？　いろいろな治療法が発見されても、いつまでたっても治療すべき病気はなくならない感じがしますが？

エイブラハム　それは、「欠けている」というほうに関心を向けているからだ。無力感や傷つきやすさ、弱さという感情は、さらに無力感や傷つきやすさ、弱さを感じさせるものを引き寄せる。確かに病気に関心を向けなければ、病気の克服に焦点を定めることはできない。だが、病気の治療法を探すことは（たとえ治療法が見つかっても）近視眼的で、長い目で見ればあまり効果はない、ということを理解することが大切だ。なぜなら、あなたも指摘したように次々と新しい病気が生まれるからだ。**病気の治療法を探すのではなく、原因となる波動を探して理解しようとしたときに初めて、病気の山をなくすことができる。安らかな気分やその気分と調和する波動を意図的に実現すれば、病気にかからずに暮らせる。**

多くの人は健康なときにはあまり健康を評価せず、病気になってから回復に関心を向ける。明るくていい気分が身体的な幸福を生み出して維持するのだ。あなたがたはとても忙しく暮らし、いろいろなことで騒ぎ立てたり心配したりする。そうしていると調和が乱れる――その結果が病気となって現れる。そうなると病気に焦点を定めるから、もっと病気が増える。だが、その悪循環はいつでも断ち切れる。社会がそうしたことを理解するまで待たなくても、自分が素晴らしい身体的な幸福を実現することはできる。健康や幸福はあなたがたの自然な状態なのだから。

身体が自然に治る

ジェリー　わたしは小さいころ、身体がすぐに治るのに気づきました。どこかを切ったり擦りむいたりすると、みるみるうちに治っていくのがわかる気がしました。５分もたたないうちに治り始め、たちまち傷が癒えるのです。

エイブラハム　あなたがたの身体は知性のある細胞でできていて、その細胞がいつもバランスを保っている。あなたが明るくていい気分でいれば、バランスを保とうとする細胞をじゃまする波動を出さない。困ったことや悩みに焦点を定めていると、身体の細胞がバランスを回復する自然なプロセスを妨げてしまう。病気と診断されるとその病気に関心を向けるから、回復プロセスはますます妨げられる。

身体の細胞はどうすればバランスを回復できるかを知っている。あなたが明るくていい気分になる思考に焦点を定めれば、細胞の回復プロセスをじゃましないから、元気になる。どんな病気(dis-ease：不快)も例外なく、波動の乱れと抵抗によって引き起こされる。ほとんどの人は病気の前に自分が調和の乱れた思考をしていたこと(明るくていい気分になる思考をしようという努力をほとんどしなかったこと)に気づいていないから、いったん病気になると、純粋でポジティブな思考を見いだすのはとても難しい。

だが、健康や幸福を阻んでいるのは思考であり、思考だけであることが理解できれば――そしてもっとポジティブな方向へ思考を向けられれば――回復はとても早い。どんな病気でも、どんなに重症になっていても、**問題はポジティブなほうへ思考を向けられるかどうかなのだ。**

こう言うと、たいてい誰かが聞く。「でも生まれたばかりで病気の赤ちゃんはどうなのですか?」子どもが話せないからといって、考えていないとか波動を出していないと決めつけてはいけない。子どもはおなかのなかにいても、あるいは生まれたばかりでも、健康や病気にとても大きな影響を及ぼしているのだ。

健康に関心を向ければ健康になれるか?

ジェリー わたしは自分の身体が自然に治るのを見たし、それが目に見えたから、当然治ると期待していました。でも、身体のすべての部分がそうやって治るのだと、どうすればわかるでしょうか？　だいたい人は見えない身体部分――身体のなかに隠れている部分――のことがいちばん不安なようですが。

エイブラハム　思考の結果がはっきりとわかる形で現れるのを見届けられるのは素晴らしいし、傷や病気が不調和の証拠であるように、治癒や健康は調和の証拠だ。あなたがたはもともと病気になるよりも健康でいるようにできている。だから、ネガティブな思考をしていても、たいていの人はなんとか元気でいられる。

あなたは傷が治ると期待するようになった。それが治癒のプロセスを大いに促進した。しかし病気の証拠が目に見えないと――検査や機器を使って情報を集める医師の診察に頼るしかないと――あなたがたは往々にして無力感や不安を覚え、それが治癒のプロセスを遅らせるばかりか、そもそも病気を創り出す大きな原因になる。多くの人は身体の見えない部分について不安を抱くが、その不安が病気を生み出す強力な触媒になる。

ほとんどの人は具合が悪いと医師のところへ行き、どこが悪いのかと聞く。どこか悪いところがないかと探せば、たいていは悪いところが見つかる。事実、「引き寄せの法則」によってそうなる。身体のどこかが悪いのではないかと調べていれば、いずれはどこか悪くなる。もともと悪かったのが調べ続けてようやくつきとめられたわけではなく、繰り返された思考がそれに対応するものを創造したからだ。

医者にはいつ行く？

エイブラハム　定期健診を受けて身体に悪いところはないか、悪くなりかけているところはないか、悪くなりそうなところはないかと探すことは勧めない、と言うと、それは無責任だと反対する人たちが多い。わたしたちが思考のパワーを理解していなければ、健診を受けたほうが安心するなら受けなさいと勧めるかもしれない。

確かに問題を探しても見つからないと、あなたがたはホッとする。だがどこか悪くないかとしつこく探し続けていれば、いずれはどこかが悪くなる。わたしたちは医学がいけないとか、医者に行っても何もいいことはないと言っているわけではない。医学も医者も一般的に治療に携わる職業も、それ自体の価値はプラスでもマイナスでもない。どこまでプラスの価値を得られるかは、あなた自身の波動によって決まる。

わたしたちが勧めるのは、感情のバランスに関心を向けて、できるだけ明るくていい気分になる思考を心がけ、それが習慣になるまで続けなさい、ということだ。そうすればまず波動が整い、そのあとにインスピレーションがわいた行動をとることになる。言い換えれば、喜びや愛や明るくていい気分を持っていれば、医者に行くことは――ほかのどんな行動も――きっと価値がある。不安や心細さそのほかのネガティブな感情で行動しても、決して価値はない。

体調もほかのすべてと同じで、あなたが抱いている信念に大きく影響される。普通は若いときにはいい体調への期待が大きいが、年をとるとほとんどの人が周りの人たちを見てその期待を低下させる。確かにその観察は間違っていない。老人たちは病気や衰えを経験しやすい。だが年をとって衰えるのは、身体が時間とともに壊れるようにプログラムされているからではなく、長く生きるとそれだけ騒いだり心配したりすることが増えて、自然な幸福の流れに抵抗するからだ。病気になるのは年齢ではなく、その抵抗のせいなのだ。

ライオンに食われかけた恍惚感

ジェリー　こんな話を聞いたことがあります。リヴィングストン博士がアフリカでライオンに噛みつかれてひきずられたというんです。博士はそのとき一種の恍惚感に浸って、まったく痛みを感じなかったそうです。大きな動物に食われかけている小動物が麻痺状態になっているのを見たこともあります。あきらめて抵抗しなくなったのでしょう。でも苦痛を感じなかったというのはどういうことなのか、と思うんです。博士の恍惚状態というのは精神的なものでしょうか、それとも肉体的なものでしょうか？　それは食われるとか殺されるという極限状況でだけ起こるのか、それとも苦し

い状況で痛みを感じないために、誰でも活用できることなのでしょうか？

エイブラハム　まず、何が肉体的で何が精神的か、何が「より高い自分」「内なる存在」から生まれているかをはっきりと区別することはできない、と言っておこう。言い換えれば、あなたがたは物質世界の身体に焦点を結んだ「存在」で、かつ思考する精神的な「存在」だが、あなたがたのなかから生じる「生命力」「エネルギー」を提供しているのは「もっと広い視野」なのだ。もう回復できそうもないという状況――言い換えればライオンに噛みつかれた（たいていはライオンが勝者になる）という状況――では、**あなたの「内なる存在」が介入して「エネルギー」の流れを送ってくる。それをあなたは一種の恍惚状態として受け取ることがある。**

そんな極限状況でなくても、「源（ソース）」からの「幸福の流れ」にアクセスすることはできるが、ほとんどの人はほかに選択肢がなくなるまでそうはしない。あなたはあきらめという言葉を使ったが、確かにあきらめることで「幸福の流れ」が力強く流れ出すことが可能になる。しかし、そこで「あきらめられた」のは闘い、抵抗で、この物質世界の身体で生き続けたいという願望ではない。具体的な状況を検討するにあたっては、そういうこともすべて考慮しなくてはいけない。人生にあまり情熱を持っていない人、生きて望みを達成し続けたいという意志があまり強くない人は、違う結果を経験し、殺されてライオンに食われるかもしれない。**あなたが経験することはすべて、願望と期待という思考のバランスの結果なのだ。**

何かを「許容・可能にする」ことは、ライオンに襲われたというような特殊な状況ではなく、普通の日常生活のなかで実践されるべきだ。だが、そういう極端な状況でも、あなたの意志のパワーが結果を決める。調和を――明るくていい気分になる考えを通じて――実践することが、痛みを感じないための方法だ。痛みとは常に強調された抵抗のしるしにすぎない。まずネガティブな感情があり、さらにもっとネガティブな感情があって、それからまたネガティブな感情があって……（この部分はとても長く続く）、それから感覚、そして痛みになる。

物質世界の友人にわたしたちは言う。ネガティブな感情を持っても、それが抵抗の思考のしるしだと気づかず、その抵抗を修正せずにいると、「引き寄せの法則」によって抵抗の思考はどんどん大きくなる。それでも調和や明るくていい気分になる思考をしないでいれば、抵抗の思考がますます強くなって、ついには痛みや病気やそのほかの抵抗のしるしを経験することになる。

痛みを感じている人が気をそらすには

ジェリー　わかりました。自分自身を癒すためには、思考を問題から引き離して、望

むほうへ向けなくてはいけない、とおっしゃるんですね。でも痛みの最中に痛みを感じなくなるには、どうすればいいんでしょうか？　どうすれば痛みから関心を引き離して、望むことのほうへ向けられますか？

エイブラハム　あなたの言うとおりだ。「つま先がずきずき痛む」とき、つま先の痛みのことを考えないでいるのはとても難しい。ほとんどの人は望まない経験をするまで、何を望むかをはっきり考えていない。なんとなく日々を過ごし、ぼんやりとあれこれをして、本当に意識的な思考を差し出していない。思考のパワーを理解していないから、望まない何かにぶつかるまでは、本当に意図的な思考をしようとしない。そして、望まない何かにぶつかると、今度はそれを全面攻撃する。そこに関心を向けるのだが、それでは——わたしたちのように「引き寄せの法則」を知っている者にはわかるが——事態を悪化させるばかりだ。だから、わたしたちが勧めるのは、「つま先の激痛が少し和らぐ時間（節目）を見つけなさい、そしてそのときに幸福にピントを合わせなさい」ということだ。

経験していることとそれに対する感情的な反応を区別する方法を見つけなくてはいけない。言い換えれば、身体が痛むとき、その間に恐怖を感じることもできれば、希望を感じることもできる。痛みがあなたの姿勢や思考を決めるのではない。痛み以外のことを考えることもできる。それができれば、やがて痛みは薄らいでいく。だが、いったん痛みが生じると、あなたがたはひたすら痛みに関心を注ぎ、望まないことをさらに長引かせてしまう。

どんなことにせよ、ネガティブな面にピントを合わせていたため、今、痛みを感じているなら、今、痛みを克服し、それからポジティブな面にピントを合わせなくてはならない。ネガティブな思考習慣が病気をもたらしたのに、健康を可能にするポジティブな思考にいきなり切り替えようとしてもうまくいかない。今は痛みや苦しみあるいはその両方があるのだから仕方がない。「予防的な幸福」のほうが「修正して幸福になる」よりもずっと簡単だ。だが、どちらの場合も鍵は明るくていい気分になる思考――少しでもホッとするほうへと向かう思考――であることに変わりはない。

非常に痛みが強い状態でも、痛みには波がある。そのなかでいちばん楽なときを選んで肯定的な側面を見つけ、明るくていい気分になる思考を選びなさい。ホッとして楽になる方向へと思考を向けているうちに、ポジティブな姿勢が固まってきて、やがては幸福に戻ることができる。例外なく常にそうなる。

幸福なのが自然な状態

エイブラハム　あなたがたの核心には健康と幸福がある。それ以外の経験をしているのは波動のなかに抵抗があるからだ。抵抗は、「望むことが実現していない」というほうにピントを合わせているから生じる。望みの実現を「許容・可能にする」には、望むことにピントを合わせることだ。抵抗はあなたの「源（ソース）」の視点と合致しない思考によって引き起こされる。望みの実現を経験できるのは、思考が「源（ソース）」の視点と合致したときだ。

あなたがたはもともと元気で、完全に健康で、完璧な身体でいることが自然なのだ。それ以外の状態を経験しているのは、あなたがたの思考のバランスが望むことではなく望むことが実現していないほうに傾いているからだ。

そもそも病気になるのは抵抗のせいで、病気が長引くのも抵抗のせいだ。経験のなかで望まないことが創造されるのは、望まないことに関心を向けているためだから、望むことに関心を向けるべきだ、というのは当然だろう。

ときどき、あなたがたは元気になることを考えているつもりで、実は病気のことを考えている。その波動の違いを見分けるには、思考に伴う感情に注意を向けさえすればいい。**明るくていい気分を手がかりに元気になる思考をするほうが、ただ元気になろうと考えるよりずっとやさしい。**

まず、明るくていい気分になると決めて、それに合致することを考えなさい。そうすると、自分でも気づかずに恨みや劣等感や無力感を抱いていたことがわかるだろう。

だが、気分や感情にもっと関心を向けようと決めたら、そういう病気を引き起こす抵抗の思考を見逃さなくなる。あなたがたにとっては病気は自然ではないし、ネガティブな感情を抱くことも自然ではない。あなたがたは核心では「内なる存在」と同じなのだから、**本当は元気で、とても明るくていい気分でいるはずなのだ。**

赤ん坊の思考が病気を引き寄せるか？

ジェリー　生まれたばかりでまだ意識も認識もない赤ん坊が、どうして病気を引き寄せたりするのでしょうか？

エイブラハム　まず自分の現実を創造する者は自分以外には誰もいない、ということをはっきりさせよう。だが、あなたがたが知っている「自分」は、母親から生まれる小さな赤ん坊として始まったわけではない、ということが重要だ。あなたがたは「永遠の存在」であり、たくさんの経験を生きてきて、創造という長い長いバックグラウンドとともにこの物質世界の身体に宿った。

人はよく、生まれる赤ん坊がみんな基準どおりの「完璧な」身体で生まれたら、世界はもっと素晴らしいところになるだろう、と考える。だが、必ずしもそれが物質世界の身体に宿るすべての「存在」の意図とは限らない。コントラストがいろいろな意味で価値のある興味深い効果を上げるので、多くの「存在」が「普通」とはかけ離れたことを意図して選ぶ。言い換えれば、普通とは違う赤ん坊が生まれたとき、何かが間違ったと決めつけることはできない。

テニスがとても上手な女子選手がいるとしよう。試合を見物している人は、いつも簡単にやっつけられる弱い相手とプレイしていれば、その選手は幸せだろうと思う。だが、当人が考えていることはまったく逆かもしれない。彼女は絶好調のライバルと対戦して、それまでなかったほどの集中力や正確なプレイを引き出してもらいたいと思うかもしれない。同じように、身体的な創造において絶好調の人たちは、人生を違った目で見る機会と新しい選択肢を与えられて、新しい経験をすることを望むかもしれない。そういう「存在」はまた、「普通」とは違う体験は見ている周りの人にとってもとても大きな恵みになることを理解している。

人はよく、赤ん坊は話せないから自分の現実を創造することもできないと誤解するが、そうではない。言葉を持っている人でも、言葉で創造するのではなく思考で創造している。赤ん坊は生まれたときから考えているし、生まれる前に波動を認識している。赤ん坊の波動の周波数は、生まれた環境で赤ん坊を取り巻いている波動にすぐに影響されるが、しかし心配する必要はない。赤ん坊もあなたがたと同じように、自分のためになる思考と幸福に抵抗する思考との違いを見分ける「ナビゲーションシステム」を持って生まれている。

どうして生まれつき病気の人がいるのか？

ジェリー　あなたがたは「思考のバランス」とおっしゃいますが、生まれる前から思考のバランスがあるってことですか？　だから肉体的な問題を持って生まれる人がいるんですか？

エイブラハム　そうだ。あなたがたの思考のバランスと今生きている人生がイコールであるように、誕生前の思考のバランスも今生きている人生とイコールだ。だが身体的な「障害」が自分に役立つことを願い、そのために望んで「障害」を持って生まれてくる人がいることも理解しなくてはいけない。その人たちは自分の視点にさらなるバランスを付け加えたいと望んでいる。

この物質世界の身体に宿る前、あなたがたはどこからでも望む新しい方向に向かえることを理解していた。だから、身体という出発地点については全然心配していなかった。その出発点から何かを望めば、願いの実現が可能だと知っていたからだ。成功とはまったく無縁と思われるような状況に生まれても、いろいろな領域で素晴らしい成功を収めている人たちがたくさんいる。そういう厳しいスタートは、その人たちにとって非常に役立った。貧困や逆境のなかで生まれたために強い願望が生まれ、それが成功を引き寄せるのに必要な「求めること」の始まりとなったからだ。

物質世界の身体に宿ったすべての「存在」は、宿った身体を完全に理解していた。彼らが身体に宿り、そこにとどまっているなら、それが「見えない世界」における彼らの意志だと信じていい。そして、今いる場所に触発されて何を望むかを決意するとき、あなたには思考の焦点を定めて創造のエッセンスを実現する能力が必ずある。

健康ではない状態を引き寄せている人は、たいてい知らないうちにそうしている。その人たちも健康を望んでいるだろうが、思考のほとんどが健康の支えにならないほうへ向かっている。ただし、ほかの人の生き方が適切かどうかは考えないほうがいい。そんなことはわかるはずがないのだから。だが、自分がいるところと自分が望むこととの関係ならいつでもわかる。自分が考えていることに関心を払い、そのときに抱く感情を指針にして思考を方向づければ、結局は自分にとって喜ばしい方向へと思考を導くことになる。

「不治」の病

ジェリー　いちばん新しい「不治」の病とされているのはエイズですが、最近ではエイズを生き延びる人も出てきました。余命を宣告されても、それ以上に長生きする人たちです。既にエイズにかかっていて助けを求めている人たちに、あなたがたはどんな提案をなさいますか？

エイブラハム　どんなに衰えた状態でも、完璧な健康を回復できない身体はない。だが何を信じるかが、あなたがたの経験を決める。何かが不治だと――「致命的」だと――思っていたら、そしてあなたがその病にかかったと宣告されたら、普通は自分はもう生き延びられないと信じるし、生き延びられないだろう。

だが、**生き延びるかどうかは病気とは関係なく、思考によって決まる**。だから、「ほかの人はそうかもしれないが自分は違う、わたしの経験の創造者はわたしで、わたしは死ではなく回復を選ぶ」と自分に言えば、回復できる。

わたしたちがこう言うのは簡単だが、自分に創造のパワーがあると信じていない人には納得できないだろう。だが、あなたがたの経験は常に思考のバランスを反映している。あなたがたの経験は抱いている思考の明確な指標だ。抱く思考を変えれば、経験あるいはその指標も必ず変化する。それが「法則」だ。

楽しみにピントを合わせて健康を回復する

ジェリー　ノーマン・カズンズという作家は、不治の病とされていた病気にかかりました(ほかには回復した人はいないと思います)。だが彼は生き延びました。そして彼は愉快なテレビ番組を見たから治ったと言いました。つまり、彼はそういうテレビ番組を見て——笑い——病気が消えたというのです。これについてのご意見はいかがですか?

エイブラハム　彼は健康に自分の波動を調和させたから回復できたのだ。彼が波動の調和を見いだせたのには、大きく言って二つの要素があった。第一は、病気のおかげで健康になりたいという願望が非常に強くなったこと。第二は、彼が見たテレビ番組のおかげで病気から気分をそらせたことだ。愉快な番組を見て笑って楽しんでいたのは、健康を阻む抵抗が消えたしるしだ。何を創造するにしてもこの二つの要素が必要になる。望むこと、そして願望の実現を「許容・可能にする」ことだ。

普通、人が問題に焦点を定めると、それによって健康が否定され、重い病気になる。そうなると病気に関心が集中し、さらに病気が長引く。医師が治療法や治療薬があると信じていれば、患者の健康への信念を支えることができる。その場合は病気のせいで願望が増幅され、治療法があることで信念が強化される。だが、不治の病の場合でも治るとされる病気でも、治癒をもたらす二つの要素が願望と信念であることに変わりはない。

健康を期待できる人なら、どんなときでも健康を実現できる。肝心なのは健康を期待することで、そうすればあなたが挙げた例のように、望むことが実現していないという面から関心を引き離すだけで治癒できる。

病気は無視すれば消えるか？

ジェリー　わたしは大人になってから、その日に予定していた仕事ができないほど具合が悪くなったことはいっぺんもありません。言い換えれば、いつも仕事が大切だと考えていたので、仕事をしないなんて考えられませんでした。しかし、気づいたのですが、なんだか調子が悪いなあと思っても――風邪やインフルエンザの症状が出かかっても――しなければならない仕事に気分を集中すると、症状はどこかに消えてしまうのです。それは、望むことに焦点を定めたからでしょうか？

エイブラハム　あなたには仕事をしようという強い意志があったから――そして仕事を楽しんでいたから――健康への大きな勢いが働いたのだ。それで望まない何かに関心が向いて健康から外れたように見えても、いつもどおりの関心に焦点を定めれば、調和はたちまち回復した。そして不調和の徴候はたちまち消えた。

あなたがたは行動を通じて多くのことを達成しようとして、その過程で疲れたりもうダメだと感じる。その感情は立ち止まってリフレッシュしなさいというしるしだ。ところがあなたがたはリフレッシュして調和を回復しようとせずに、無理やり先に進もうとする。それが不快な症状が表面に出てくるいちばん大きな理由だ。

ほとんどの人は病気の症状を感じたとき、その症状に関心を向けてますます具合が悪くなり、調和が乱れる。大切なのは早い段階で不調和に気づくことだ。言い換えれば、ネガティブな気分は、違う考え方をして波動のバランスを改善しなさいという信号なのだ。ところがそのままにしておくと、信号はますます強くなり、ついには身体的な不調として現れてくる。そうなっても、さきほどあなたが挙げた例のように転換して(バランスが崩れた原因から関心をそらして)望むことに焦点を定め、調和を回復すれば、病気の症状は消えるだろう。**どんな状態でも回復できないことはないが、早期に軽い段階で気づけば回復はずっと簡単だ。**

ときには病気が、したくないことをしないで済む逃げ道になることがある。あなたがたの環境では、何かをしなくて済むという理由で病気を「許容・可能にする」場合がかなりある。だがそういうゲームを始めてしまうと、ますます病気へ病気へと進むドアが開く。

ワクチンの効き目は？

ジェリー　思考を通じて病気を創造するのだとしたら、どうしてワクチン――例えばポリオのワクチン――で、特定の病気がほぼ撲滅されるということが起こるのでしょう？

エイブラハム　病気はあなたがたの願望を増幅する。ワクチンはあなたがたの信念を増幅する。だから、創造というデリケートなバランスが達成される。あなたがたはそれを望み、その実現を「許容・可能に」した。あるいは実現を信じた。だから実現する。

医者やヒーラー、呪術師について

ジェリー　そこで次の質問なのですが。呪術師とかヒーラー、医者といった人たち……そういう人はみんな癒すこともあれば患者を失うこともあるといわれますね。そういう人たちは、思考あるいは人生との関係ではどんなところに位置しているのですか？

エイブラハム　その人たちに共通する大事なことは、患者の「信念」を刺激することだ。創造のバランスの最初の部分は、病気が健康への「願望」を強化することで達成されているから、「信念」や「期待」をもたらすものは前向きの成果を上げる。医学や科学が治療を目指すことをやめて原因となる波動やアンバランスに目を向ければ、治癒率はもっともっと高くなるだろうね。

あなたの病気は治ると医師が信じていないなら、そういう医師にかかるのは非常に有害だ。そして多くの場合、善意の医師は治癒率が低いことを根拠にして自分の疑いを正当化し、あなただって例外にはなれないだろうと言う。その理屈の困ったところは——たとえそれが医学や科学が期待する事実と証拠に基づいていたとしても——あなたとは何の関係もない、ということだ。あなたの回復に関係する要因は二つだけ、あなたの「願望」とあなたの「信念」だ。そして、ネガティブな診断はあなたの「信念」のじゃまをする。

あなたが回復への強い願望を持っているのに、医師が希望を与えてくれないなら、当然望みを許容してくれるだけでなく促してくれる別のアプローチに転換したほうがよろしい。「不治」と言われる病気から回復する人たちがいる証拠はたくさんあるのだから。

回復への手段としての医師

エイブラハム　現代医学を非難してはいけない。現代医学はあなたがたの社会の成員の思考と願望と信念から生まれたのだから。わかってほしいのは、あなたがたには望むすべてを実現するパワーがあること、しかしそれが真実かどうかの証拠を自分の外に探しても見つからないこと、それが真実である証拠は常に感情という形であなたのなかからわき起こることだ。

まず波動の調和を実現し、それから心に思いつく行動をしなさい。医学の援助は受ければいいが、しかし不可能なことを求めてはいけない。あなたの「エネルギー」の乱れを相殺して治療することを医学に要求してはいけない。

求めなければ答えも見つからない。問題への関心とは、実は解決策を求めることだ。だから、医師たちが身体を調べて、自分たちが解決できるかもしれない問題を探すことはおかしくはない。だが「問題を探す」ことは、問題を「引き寄せる」強力な触媒になる。だから、善意の医師たちが治療法を見つけるよりも、病気を長引かせる結果になったりする。**医師たちが患者を助けたがっていないというのではない。そうではなくて、身体を診察するときの医師たちの最大の意図は、どこかが悪い証拠を探し出すことにある、ということだ。そして、それが彼らの最大の意図だから、たいていは意図どおりのことを引き寄せる。**

そういうことを長く続けていると、いずれは医師たちは人間とは具合が悪くなるものだと信じるようになる。いいところよりも悪いところのほうによく気づくようになる。それが、多くの医師たちが経験のなかにたくさんの病気を引き寄せる理由だ。

ジェリー　**それで、医者が自分を治せないということがよくあるんですね？**

エイブラハム　そのとおり。ほかの人のネガティブなところにピントを合わせながら、自分のなかでネガティブな感情を経験しないでいるのは容易なことではない。そして、病気はネガティブなことを許容・可能にするから生まれる。**ネガティブなことをいっさい経験しない人は病気にはならないだろう。**

わたしは何ができるか？

ジェリー　**わたし個人として、身体的な問題を持っている人には何をしてあげられるでしょう？**

エイブラハム　他人の不満の共鳴板になっていたら、相手を助けることは絶対にできない。**その人たちが望むはずの姿をその人たちに見ること、それがあなたにできるいちばん価値のあることだ。**そのためには、相手のそばから離れたほうがいいこともあるだろう。いっしょにいて相手の不満に関心を向けずにいるのは難しいからだ。そういうときは、こう言えばいい。「わたしは関心と思考にはパワーがあるということを学んだ。だから、あなたが自分でも望まないことを話し続けるなら、そのまま聞いているわけにはいかない。あなたの間違った創造に手を貸したくないから」相手を当人の不満から引き離す努力をしてごらん。もっと肯定的な側面にピントを合わせたほうがいいと助言しなさい。全力を上げて相手が調和を回復するところを想像しなさい。

誰かのために役に立つのは、その人のことを考えて明るくていい気分になれるときだけだ。不安なく相手を愛しているなら、あなたは相手の役に立っている。いっしょにいて楽しいなら、相手の力になっている。相手が成功すると予想しているなら、相手の力になっている。言い換えれば、あなたの「内なる存在」と同じ見方で相手を見られるなら、そのときにのみ、あなたは相手の役に立てるわけだ。

昏睡状態の人は？

ジェリー　ときどき、「友人（あるいは家族）が昏睡状態なんです」と言う人がいます。愛する人が意識のない状態になったとき、何かしてあげられることはありますか？

エイブラハム　コミュニケーションは言葉だけでするものではなく、人と人は言葉以上に波動でやり取りしている。だから、愛する人に意識がないように見えても、どこかのレベルでコミュニケーションができているかもしれない。それどころか、あなたがたが「死」とよぶ物質世界からの移行を果たした人とさえ、コミュニケーションはできる。だから、**意識がないように見えるからコミュニケーションができないと決めつけてはいけない。**

昏睡状態あるいは意識のない状態が続く最大の理由は、その人が「欠けている」という思考からの回復を求めているからだ。言い換えれば、その人たちは日常生活の細部から意識的な関心を引き上げ、「内なる存在」と波動でコミュニケーションしている。それは回復のチャンスであり、「見えない世界」に戻って調和を見いだそうか、それとも再び物質世界の身体に戻って目覚めようかと選択していることも多い。これはいろいろな意味で物質世界の身体として生まれてくるのとあまり変わらない。

そこで、その人たちに対する態度としていちばんいいのは、こう考えることだ。「あなたが自分にとって大切なことをするよう願っています。あなたが決めることならなんでも賛成です。あなたを無条件で愛しています。あなたがとどまってくれるなら、こんなにうれしいことはないでしょう。でも、もしあなたがいってしまっても、わたしはやっぱりうれしいでしょう。あなたにとっていちばんいいようにしてください」

これが、あなたができる最善のことだ。

ジェリー　すると、何年も昏睡状態でいる人、その人たちも自分が望むことをしているのでしょうか？

エイブラハム　昏睡状態がそんなに長いとすれば、当人はとっくの昔に選択しているのに、誰かが物質的に当人の意志を踏みにじり、機械につないでいることが多い。当人の意識はとっくに離れていて、もう身体には戻らないだろう。

祖母の病気を受け継ぐか？

ジェリー　こんなことを言う人たちがいます。「わたしは偏頭痛持ちだ。母が偏頭痛持ちだったから」あるは「母は太りすぎで、祖母も太りすぎだった。だから、わたしの子どもたちも太りすぎだ」人は物質世界の問題を親や祖父母から受け継ぐのでしょうか？

エイブラハム　ある傾向を受け継ぐように見えるのは、たいていは親から学んだ思考に「引き寄せの法則」が働いているからだ。身体の細胞は思考するメカニズムで——あなたがたと同じように——周りの人の波動から学ぶ。しかし、あなたが願望を明確にして、明るくていい気分になる思考を見つければ——それは「内なる存在」「源（ソース）」と波動が調和しているしるしだから——身体の細胞もすぐにあなたが前向きの思考で確立した「よいあり方(ウェル・ビーイング)」の波動と同調する。あなたが自分の「源(ソース)」と調和しているのに、身体の細胞がネガティブな傾向を発展させることはあり得ない。あなたの調和が乱れているときだけ、細胞の調和も乱れるのだ。

あなたがたの身体は思考の延長だ。感染したり「受け継いだり」するネガティブな症状はネガティブな思考に支えられている。だから、両親がどんな病気をしていても、あなたがいつもポジティブな思考でいれば症状は起こり得ない。

ジェリー　母が頭痛がすると言い、それをわたしが受け入れたら、わたしも頭痛がするようになるんでしょうか？

エイブラハム　相手が母親であろうと誰であろうと、望まないことに関心を向ければ、やがてそのエッセンスがあなたのところへ引き寄せられてくる。頭痛は「よいあり方(ウェル・ビーイング)」への抵抗の症状で、「内なる存在」の「よいあり方(ウェル・ビーイング)」と矛盾した波動でいるときに起こる。例えば、仕事のことで心配したり、政府に対して腹を立てたりすれば、身体的な症状の原因になり得る。頭痛にピントを合わせなくても頭痛が起こるだろう。

ジェリー　頭痛がすると母がこぼし、わたしが「それはあなたのことで、わたしではない」と意識的に拒否すれば、ある程度までは身を守れますか？

エイブラハム　自分が望むことを口にするのはいつだって役に立つが、「本当の自分」と調和しつつ、同時に母親の頭痛にピントを合わせることはできない。自分が望まないことを見つめながら、望むことを口にしても、望むことと調和することにはならない。引き寄せたくないと思うことから関心を引き離して、代わりに引き寄せたいと思うことに関心を向けなさい。お母さんのなかでもあなたが明るくていい気分になる側面にピントを合わせるか、お母さん以外の、明るくていい気分になれることにピントを合わせなさい。

病気とメディアの関係

ジェリー　先日、希望する者に無料でインフルエンザの予防注射をするという報道がありました。そのニュースはインフルエンザ・ウィルスの蔓延に影響するでしょうか？

エイブラハム　そのとおり、インフルエンザ・ウィルスの蔓延に大きな影響を与えるだろう。現在のあなたがたの環境では、テレビほどネガティブな影響が大きいものはない。もちろん、環境のどこを見ても望むものと望まないものとがあり、あなたがたはテレビでもほかのメディアでも自分に役立つことにピントを合わせることができる。だが、メディアはとんでもなく歪んだアンバランスな見方を送ってくる。メディアは世の中のトラブルを探しては、そこに華々しいスポットライトを当てて拡大し、効果音までつけて強調して、それをリビングに送り込んで、あなたがたに地球上の「よい（ウェル）・あり方（ビーイング）」ではなく、とんでもなく歪んだトラブルを印象づける。

大量に流し続けられる医学関係のコマーシャルは、非常に強力なネガティブな影響を及ぼす。「五人に一人はこの病気を抱えている、あなたもその一人かもしれない」などと言うからだ。そうやって病気という考えを押し付けてから、さらに「医師の診察を受けましょう」と言う。それであなたが医師のところに行くと（医師の「意図」は「具合が悪い」ところを見つけることにあるから）ネガティブな期待が生まれたり強調されたりする。そうやって影響されて、社会に広がった思考の証拠があなたの身体に現れ始める。今ほど医学が進歩したことはないのに、今ほど病気が多かったこともないではないか。

何かを創造するには、それに思考を向ければ――そして期待すれば――実現することを思い出そう。彼らは統計数字を示す。恐ろしいストーリーを聞かせる。あなたの思考を刺激し、思考を刺激されたあなたには感情がわき起こる。「恐怖、不安……そんなことにはなりたくない！」これで方程式の半分は完成した。次に彼らは診察を受けなさいとか、無料の予防注射を受けなさいと促す。「病気が広がることがわかっている。そうでなければ無料で予防注射なんかしません」これで「期待」あるいは「許容・可能」の部分も完成する。あなたはインフルエンザにかかったり、彼らが語るエッセンスを引き寄せるのに完璧な場所に立ったわけだ。

望むことでも望まないことでも、あなたが考えたことが実現する。だから、まず自分の「よいあり方（ウェル・ビーイング）」のストーリーを語る練習をして、テレビが（あなたが実現を望まない）恐ろしいストーリーを送ってきても、不安になるより笑ってしまえるようにすることが大切だ。

小さな芽のうちに、不快な感覚に気づく

エイブラハム　身体的な幸福に自分が抵抗している最初の徴候は、ネガティブな感情として現れる。ネガティブな感情が現れた瞬間に身体の具合が悪くなるわけではないだろうが、ネガティブな感情を長引かせることにピントを合わせていれば、やがては病気（dis-ease：楽でない状態）になるだろう。

ネガティブな感情は「よいあり方（ウェル・ビーイング）」をじゃまする波動の不調和のしるしだと気づか

ないと、あなたもほとんどの人たちのようにあるレベルのネガティブな感情を受け入れてしまい、それをなんとかしなくてはいけないと思わないかもしれない。ほとんどの人は自分の感情がコントロールできない条件・状況への反応だと信じているから、ネガティブな感情やストレスが警告を発しているのを感じてもどうすればいいのかわからない。嫌な条件はコントロールできないから自分の感情を変える力もないと思う。

あなたの感情はあなたが何にピントを合わせているかで決まること、どんな状況でもあなたには今より少し明るくていい気分になる思考か少し暗くて嫌な気分になる思考を選ぶ力があることを理解してほしい。そして、いつも少し明るい気分になる思考を選んでいれば、「引き寄せの法則」によってあなたの経験は着実に明るくていいものになっていく。

身体的に幸福な状態を達成し維持する鍵は、早い段階で不快というしるしに気づくことだ。早い微妙な段階なら、慢性的なネガティブ思考に「引き寄せの法則」が働いてネガティブな大きな結果が引き寄せられたあとよりも、思考の転換はずっと簡単だから。

「自分のなかのネガティブな感情を絶対に放っておかない」と決心できれば――同時に、誰かの行動やなんらかの状況を変化させてもっといい気分にしてくれと要求するよりも、もっと明るくていい気分になるほうへ自分で関心を転換すればいいと気づけば――とても健康になれるだけでなく、楽しい人間になれる。**喜び、評価、愛、健康、**

どれも同義語だ。恨み、嫉妬、落ち込み、怒り、病気、どれも同義語である。

関節炎やアルツハイマー病は？

ジェリー　関節炎で曲がった手足やアルツハイマー病による記憶喪失も解決できますか？　どんな年齢でもそういう病気から回復できるのでしょうか？

エイブラハム　身体的な状況は、実はあなたの思考の波動バランスを示すしるしだ。だから、思考を変えれば当然そのしるしも変化する。病気が長引いたり病状が変化しないように見える理由は、思考が長い間変化しないからだ。

ほとんどの人は、自分が見たりほかの人に教えられた「真実」をもとにした非生産的な思考パターンを習得している。そしてその(当人のためにならない)思考パターンを頑固に守っているから、その思考の結果を経験する。そこで望まないこと(決して望んでいないこと)について考え、そのために「引き寄せの法則」に従って望むことではなく望まないことが経験のなかに引き寄せられ、それでますます望まないことを考え、ますます望まないことが実現するという悪循環が生まれる。

どんな経験をしていても、変化を起こすことはできる。だが、まず世界の見方を変えなくてはいけない。今のままではなく自分が望むような生き方のストーリーを語らなければならない。自分の感情を基準にして思考の方向や会話の方向を選ぶようにすれば、意図的に波動を出すことになる。自分でわかっていてもいなくても、あなたは「波動という存在」であり、「引き寄せの法則」はいつもいつまでもあなたが出す波動に働く。

ジェリー　アルコールやニコチン、コカインなどの化学物質は身体に悪影響を与えますか？

エイブラハム　あなたの身体的な「よいあり方（ウェル・ビーイング）」は、あなたが身体に取り込む物質よりも波動のバランスに大きく影響される。今の質問を考えるうえで重要なのは、波動が調和していれば波動のバランスを壊すような物質に引かれたりはしないという事実だろう。そういう物質を求めたくなるのは、ほぼ例外なく波動が調和していないからだ。実際、そういう物質が欲しいという衝動は、波動のアンバランスのために生じる隙間を埋めたいという欲求から起こっている。

運動や栄養は健康の要素か？

ジェリー　運動や栄養で健康が増進されますか？

エイブラハム　あなたの周りには、食事や運動にとても気を使っていて、明らかに健康で体調がいい人もいるだろう。また、何年も食事や運動に非常に気を使って努力しているのに、身体的な幸福を維持することにあまり成功していない人もいるだろう。どんな行動をするかは、何を考え、どう感じているか、波動のバランスはどうか、どんなストーリーを語っているかに比べれば、重要性がずっと低いのだ。

波動のバランスを実現していれば、身体的な努力は素晴らしい成果を上げるだろう。だが、まず波動のバランスを整えておかなければ、どんな行動をとっても、エネルギーの乱れを補うことはできない。波動の調和という場所にいれば、自分のためになる行動をしようという気になるだろうし、波動が調和していない場所にいれば、自分にとって有害な行動をしたくなるだろう。

ジェリー　サー・ウィンストン・チャーチル（第二次大戦中の英国の指導者）がこんなことを言ったそうです。「わたしは歩けるところでは決して走らないし、立っていられるところでは決して歩かないし、座っていられるところでは決して立たないし、横になっていられるところでは決して座らない」それに彼はいつも大きな葉巻を吸っていたんです。彼は90歳まで生きたし、わたしが知っているかぎりではとても健康でした。でも彼のライフスタイルは、現在、健康なライフスタイルとされているのとは全然違いますよね。すると「信念」という要素はどう働くのでしょうか？

エイブラハム　そんなに早死にしたのかね（いや、冗談だよ）。健康な生活に関して、大勢の人が混乱しているのは、行動だけを考慮して、方程式のなかで結果にいちばん影響する部分を忘れているからだ。つまりどんなふうに考え、どんなふうに感じ、どんなストーリーを語るか、ということだ。

健康なのにいつも疲れていると感じる

ジェリー　健康なのにいつも疲れていたり落ち着かない気分でいるとしたら、どうすればいいでしょう？

エイブラハム　そんなふうに疲れたり落ち着かないことを、低エネルギーの状態だとよく言うね。これはとても上手な言い方だ。あなたがたは「エネルギーの源（ソース）」から自分を切り離すことはできないが、その「源（ソース）」と矛盾することを考えていると、結果として抵抗感とか低エネルギー状態を感じる。**どんなふうに感じるかは、あなたが「源（ソース）」とどれくらい調和しているか（いないか）を常に表している。例外はない。**

自分が望むストーリー（あなたのなかの「源（ソース）」が常に語っているストーリー）を語っていれ

ば、幸福でエネルギッシュだと感じる。低エネルギーだと感じるのは、拡大した「ソースエネルギー」であるあなたの部分が語っているのと違うストーリーを語ってきたからだ。人生の肯定的な側面にピントを合わせたストーリーを語っていれば、エネルギッシュだと感じる。ネガティブな側面にピントを合わせたストーリーを語っていれば、無気力でやる気がなくなる。現在望むものが満たされていないという面にピントを合わせていれば、ネガティブな気分になる。もっといい状況を想像すれば、明るくて前向きな気分になる。**どんなふうに感じるかは、常に関心の対象と真の願望との関係で決まる。望むものに思考を向けていれば望む活力がわいてくる。**

病気の主な原因は？

ジェリー　すると、簡単に言って病気の主な原因はなんなのでしょうか？

エイブラハム　望まないことに思考を向け、ネガティブな気分になってもそれを無視し、さらに望まないことにピントを合わせ続けて、ますますネガティブな感情が大きくなり——それでも無視して、望まないことに関心を向け続け……やがて「引き寄せの法則」でもっとたくさんのネガティブな思考や経験が引き寄せられて、それで病気になる。**不調和のしるしは早い微妙な段階に感情という形で送られているのに、それ**

を無視していると病気が起こる。

ネガティブな気分になったとき、そんな気分から解放されるような思考の転換をしないでいると、ネガティブな気分は必ず大きくなっていき、ついに身体的な感覚として現れ、次に身体の不調になる。ただし、病気は波動の指標にすぎないから、波動を変えれば新しい波動に従って指標も変わる。病気はエネルギーのバランスが崩れていることを示す身体的な指標以上のものではない。

病気を経験している人の多くは、「引き寄せの法則」が思考に反応して病気が起こるというわたしたちの説明に納得せず、自分はそんな病気になるような考えを持ったことはないと反論する。だが、その病気のことを、あるいはほかの病気のことを考えるから病気になるのではない。病気はネガティブな思考を示す大々的な指標で、ネガティブな感情を示す微妙な指標から始まり、ネガティブな思考が続くにつれてどんどん大きくなる。ネガティブな思考とは、思考の対象がなんであっても幸福への抵抗を意味する。だから、新しい病気が現れ続けるし、病気の本当の原因と取り組まない限り、決定的に病気が解決されることはないだろう。

たった今、あなたがたの身体にはあらゆる病気の可能性が存在するし、同時に完璧に健康な状態の可能性もある。そして、あなたは思考のバランス次第で、そのどちらかを、あるいはその混合状態を招き寄せることになる。

ジェリー　すると、言い換えれば、あなたがたの視点からすれば病気や楽でない状態(dis-ease)には物理的な原因はない、すべては思考だ、ということですか？

エイブラハム　あなたがたが病気の原因を説明するにあたって、行動や振る舞いが重要だと思いたがる気分はわかる。水がどこから来るかを説明するとき、キッチンのシンクの蛇口を指して、ここから水が出るというのは正しい。だが「水がどこから来るか」というストーリーには、蛇口だけでなくもっともっといろいろな要素がある。あなたがたが楽な状態でいるかそれとも病気になるかは思考のバランスの徴候であり、思考のバランスは水が低いほうへ流れるように最も抵抗の少ない道を通って実現する。

身体的な幸福についての「古い」ストーリーの例

「身体の調子が悪くて、心配だ。年をとると、体力もなくなるし、不安定になるし、不健康になるし、安心できなくなる。これから自分の健康がどうなるのか不安だ。健康には気をつけてきたつもりだが、それほどの効果があったとは思えない。時がたつにつれて具合が悪くなるのは普通かもしれない。両親もそうだった。それで健康状態がとても心配だ」

身体的な幸福についての「新しい」ストーリーの例

「わたしの身体は、身体についての思考とすべてについての思考に反応している。明るくていい気分になることを考えていれば、それだけ『幸福』を『許容・可能にする』ことになる。

うれしいことに、自分がどう感じるかはいつもどんな思考をしているかによって決まり、思考と感情には絶対的な関係があることがわかっている。感情を指標にして、もっと明るくていい気分になる思考を選べば、その思考が明るくて気分のいい波動を生み出し、それによって心地よい身体ができることもわかっている。わたしの身体はわたしの思考に反応するし、それを知っているのはとてもいいことだ。

わたしはだんだん思考を選ぶのが上手になっている。どんな状況にあってもわたしにはそれを変えるパワーがある。わたしの身体的な健康状態は恒常的な思考の状態を表す指標にすぎない。わたしは健康状態も思考の状態もコントロールできる。

ひとかたまりの胎児細胞から始まってこんな一人前の身体になるとは、身体ってなんとすごいのだろう。意識しなくても身体がたくさんの重要な機能を果していることに気づき、人間の身体がどれほど安定しているかを考え、その身体を作り上げている細胞の知性を思うと、本当に感動する。

意識してそうしなくても血液が血管を流れ、空気が肺を出たり入ったりするなんて、本当に素晴らしい。どうすべきかは身体が知っていてきちんと機能していると思うとうれしい。人間の身体ってなんと素晴らしいのだろう。知的で、柔軟性があって、耐久力があって、しなやかで、見たり、聞いたり、嗅いだり、味わったり、触れたりできるのだ。

わたしの身体はとても役に立ってくれている。この身体に宿って人生を探索していくのは素晴らしいことだ。わたしは自分のスタミナと柔軟性を楽しんでいる。この身体で生きていることを喜んでいる。

目を通じてこの世界の遠くや近くを見ること、奥行きと距離の鮮やかな感覚とともに形や色をはっきりと見分けられることがうれしい。それから、聞いたり、嗅いだり、味わったり、感じたりする身体の能力も楽しんでいる。この世界や自分が宿っているこの素晴らしい身体の手触りや感覚を愛している。

傷口が新しい皮膚で覆われ、身体に受けた傷が治ってしなやかさを取り戻すのを見ると、身体に自己修復能力があって本当によかったと感謝する。身体の柔軟性、指の器用さ、仕事をするときの筋肉の反応の機敏さをありありと感じる。

どうすれば元気になれるかは身体が知っていて、いつもそちらに向かっている。そのことを理解し、ネガティブな思考でじゃましなければ、万全な体調でいられることがうれしい。わたしは自分の感情の重要性を理解しているし、自分には幸せな思考を見つける能力があり、それによって身体的な幸福を実現し維持する能力があることもわかっている。たとえ体調がベストとはいえない日でも、本当にたくさんのことがきちんと機能していることをよく知っているし、身体の「よいあり方（ウェル・ビーイング）」の側面が支配的であることもわかっている。

そしてなによりも、わたしは身体がわたしの関心と意図に敏速に反応することがうれしい。心–身体–魂のつながりを理解しているし、意図的に波動を調和させることがどれほど力強くて生産的であるかもわかっているのがうれしい。

わたしはこの身体で生きることを愛している。

この経験に限りない感謝を感じる。

そしてとても気分がいい」

いいストーリーを語るのに、正しい方法も間違った方法もない。過去についてでも、現在についてでも、将来の経験についてでもかまわない。重要な基準は一つ、もっと明るい気分になるもっといいストーリーを語ろうという意志をはっきりと持つことだ。一日中、明るくて気分のいいショートストーリーをたくさん語っていれば、引き寄せの作用点が変化する。

あなたが語るストーリーが人生のベースであることを忘れないように。だから自分が望む人生のストーリーを語りなさい。

Part4

健康とダイエットと心についての バランスのとれた見方

健康な身体を楽しみたい

物質世界の身体の調和を図ることがとても大切なのは、二つの理由がある。

・人々がいちばん考えているのは自分の身体のことだ（どこにでもその身体といっしょに行くのだから当然だろう）

・視点や思考のすべては身体というレンズを通すから、文字どおりすべての事柄に対する姿勢が身体に感じる気分に影響される科学や医学は心と身体、思考とその帰結、態度とその結果の関係をなかなか認めないので、ほとんどの人は自分の身体に関して大量の矛盾する考えを招き寄せている。**理解のベースが間違っていたら、どんなにたくさんの健康法や薬や治療法を実践しても一貫した筋の通った効果は上がらない。エネルギーの調和の状態はその人の信念や願望、期待、昔や今受けている影響など多様な要素によってさまざまに違うから、「いつも効き目がある」治療法が存在しないのは少しも不思議ではないし、ほとんどの人が自分の身体についてまったく混乱しているのも無理はない。**

自分自身の「感情というナビゲーションシステム」を活用して現在のエネルギーの調和や乱れを理解しようとする代わりに、ほかの人たちの身体に何が起こっているかについての情報を集めて処理しようと思うのは、自分の国を旅行するのに外国の道路地図を使って計画を立てるようなものだ。その情報は、あなたともあなたが今どこにいるかともまったく関係がない。

あなたがたはわたしたちが知っている（そして「引き寄せの法則」に合った）ことと矛盾するたくさんの情報を与えられてきた。だから、もっと大きな観点からあなたがたとその身体について話してあげられるのがとてもうれしい。自分が望むとおりの外見の（心も魂も健全な）元気で健康な「存在」でいるにはどうすればいいかを理解させてあげたい。心を使って意図的に思考のピントを合わせて「内なる存在（あるいは魂）」の思考と調和させれば、身体はその調和の素晴らしい証拠となることをわかってほしい。

願望と経験をバランスさせたい

自分という存在の身体的な側面だけを考え、それから身体についてなんらかの行動をしても、身体を完璧な健康状態にすることはできない。身体的な自分と「見えない世界の波動である内なる自分」とのつながりを理解しないかぎり、一貫性のある理解もコントロールも不可能だ。言い換えれば、あなたがたは気分がよくて見かけもいい身体を食事や運動によって実現できると思うかもしれないが、それよりも身体的な側面と「見えない世界」の側面の波動の調和のほうがずっと影響が大きい、ということである。

あなたという「存在」が物質世界と「見えない世界」を含むトータルなものであることを受け入れて、波動の調和を最優先すれば、望む身体の実現と維持に踏み出すことになる。だが他人の状態、他人の経験、他人の意見を基準にして自分の身体的な幸福を考えていたら、自分の身体状況をコントロールすることはできないだろう。言い換えれば、自分と「本当の自分」との調和を求めるのではなく、他人の経験との比較で決めた身体的な基準に向かってがんばっても、自分の身体をコントロールする鍵は決して見つからないだろう。

自分と他人の身体を比較する必要はない

これが正しいという身体のあり方はないし、これがいちばん望ましい身体だというものもないことを理解してほしい。なぜなら、物質世界の身体は非常に多様で、それが、そもそもあなたがたがこの物質世界の身体に宿ろうとしたときの意図だからである。身体がみんな同じであることがあなたがたの意図だったら、どの身体も同じになっていただろう。だがそうではなかった。あなたがたは大きさも形も柔軟性も器用さも実にさまざまな多様性を持って生まれてきた。ある者は強く、ある者は敏捷だ……あなたがたは多様性を持って生まれ、ありとあらゆる相違をこの世界に付け加え、それが全体にとって非常に大きな利益になっている。あなたがたはこの時空のバランスに多様性を付加するためにやってきたのだ。

だから、わたしたちは勧めたい。自分自身を見て、「これが、あれが、欠けている」と考えるのはよしなさい、と。ほとんどの人は何かが欠けている。そうではなくて自分が自分であることの利点に目を向けなさい。言い換えれば、自分の身体を評価したり分析したりするときには、自分だけでなく「すべてであるもの」のバランスに役立っている長所に目を向けることに時間をかけなさい。

ジェリー　わたしは（サーカスで）空中ブランコの練習をしていたとき、いわゆる「飛び手」になるには体重がありすぎ、「受け手」になるには軽すぎると言われました。それでもっとがっちりした受け手かもっと軽い飛び手がいないと、わたしの出番はなかったのです。それでもわたしは空中曲芸がしたかった。それで綱渡りをすることにしました。これなら誰にも受け止めてもらわなくていいし、誰も受け止めなくてもいいですからね。だからといって自分に欠陥があるとは思いませんでした。自分がもっと大きくなるべきだとか小さくなるべきだとは考えませんでしたから。そうじゃなくて自分にできる空中曲芸を探したんですよ。（エイブラハム：素晴らしい。とてもいいことだ）

自分を完璧だと思ったら

ジェリー　そこで、体重についても頭脳的な能力や才能と同じように考えることはできないでしょうか？　それぞれが自分は完璧だと考えることはできませんか？

エイブラハム　今の状態を見て「完璧だ」と主張することは、必ずしも勧めない。あなたがたはいつだって「今の状態」を超えた何かを求めるだろうから。だが、現在の経験のなかでピントを合わせると明るくていい気分になることを見つければ、「内なる存在」の視点と調和する。「内なる存在」はいつでもあなたの「幸福」にピントを合わせているのだからね。わたしたちは、あなたがたが自分の身体と周りの人の身体の状態を一致させることよりも、身体についての「あなた」の思考と「内なる存在」の思考を一致させることを勧めるね。

望まないことに抵抗すると、望まないことを引き寄せる

エイブラハム　行動を通じてではなく思考を通じて創造するということが理解できれば、あなたがたはもっと少ない努力でたくさんの望みを実現できる。そして苦労がないぶん、ずっと楽しいはずだ。あなたがたは起きているときは常に思考を放出している。だから、明るくて前向きな思考の習慣がつくと、とても役に立つ。

あなたがたは生まれ出る社会に到着するとすぐに、望まないことに対する警告を聞かされ始める。そこで時間がたつにつれて、ほとんどの人は自己防衛のスタンスをとるようになる。あなたがたには「麻薬との闘い」や「エイズとの闘い」「ガンとの闘い」がある。ほとんどの人は、望むことを実現するには望まないことを打破すればいいと本当に信じており、望まないことを押しのけるのに多大の関心を注ぐ。だがわたしたちのように「引き寄せの法則」を知っていれば――思考によって経験を引き寄せるのだということを受け入れていれば――そんなやり方はまったく逆だとわかるだろう。

あなたがたは「自分は病気だが、病気は嫌だ。だから病気を打ち負かす。こんな行動でこの病気をやっつけるぞ」と言うが、警戒と自己防衛とネガティブな感情によって病気を長引かせている。

望みが実現していないことに関心を向けているとますます満たされなくなる

エイブラハム　すべての物事は実は二つの事柄だ。望むことと望むことが欠けていることである。あなたがたが考えるすべては身体という視点のフィルターを通るから、こう感じたいと思うような身体ではなく、こういう外見であってほしいと思う外見でなければ、望むことが実現していないことのほうに考えの多くが（圧倒的な割合が）傾きがちになるのはごく自然だろう。

欠けているという場所にいると、満たされないことをもっとたくさん引き寄せる。だからダイエットをしてもうまくいかない。あなたは自分が太っていると意識し――自分がこうあってほしいという外見ではないことを意識し――ついに我慢しきれなくなって（あるいは人から嫌なことを言われて）「もうこんなネガティブな場所は耐えられない。ダイエットして望まない脂肪を全部なくそう」と言う。だが、あなたの関心は望まないことに向いているから、望まないことが続く。**望む場所に行くには、望まないことではなくて望むことに関心を集中しなければならない。**

不安のタネをまくと不安が育つ

ジェリー　親しい友人で仕事上のメンターでもある人が、医学研究にボランティアで参加しました。彼はとても健康でしたが、ほかの人の役に立つならその研究に参加すると言いました。近隣の彼と同年齢の人たちがその病気で大勢亡くなっていたからです。ところが数週間もせずに、彼がまさにその病気だと診断されたという知らせが来ました。彼はもうこの世の人ではないのですが、でも彼はその病気に対する不安は持っていなかったと思うんです。彼がそこに関心を向けただけで、身体のなかに病気が創り出されたのでしょうか？

エイブラハム　きっかけは彼の関心——言い換えれば人の役に立とうという彼の意図だ。それで彼は調べられ、探られ、見つめられることを許した。そうやって調べられ、探られ、見つめられて、ほかの人からたくさん思考の刺激を受けたので、その可能性に気づいた——可能性だけではなく、蓋然性に気づいたのだ。ほかの人たちは彼のなかに蓋然性のタネをまき、それから調べ、探り、見つめたので、身体が彼の思考のバランスに反応したのだよ。

今のは素晴らしい例だ。なぜなら病気に関心を向けるまでは彼のなかに病気はなかったのに、関心が生まれたらそれに身体が応じたということだから。

健康か病気か、いつでも両方の可能性があなたがたのなかにある。あなたがたが選ぶ思考が、どんな経験をするか、どの程度その経験をするかを決定する。

病気への関心は病気を引き寄せるか?

ジェリー　病気という考えをどれくらいもてあそぶことができるのでしょう? 例えば身体のどこかを無料で診察してもらえるというのをテレビで見ますね。それで考えます。「それじゃ診察してもらおうか。別に具合は悪くないが、しかし無料ならいいじゃないか」それであなたがたの言うようになる、つまり思考が刺激され、結局望まない結果になる確率はどれくらいあるのでしょう?

エイブラハム　100パーセント近い。あなたがたの社会では病気への関心のゆえに病気が猛烈に増えている。あらゆる医療技術の発達にもかかわらず——あらゆるツールの開発や発見にもかかわらず——昔より今のほうが重病人たちは多い。重病がこれほど増えているのは、なによりもあなたがたが病気に関心を向けているせいだ。

あなたは「どれくらいもてあそぶことができるのか?」と言った。それでは答えよう。あなたがたは何を食べるか、何を着るか、どんな車を運転するかについては、とてもうるさい。それなのに何を考えるかについてはいい加減だ。何を考えるかについてもっと慎重にしなさいと勧めたい。あなたが望むことに調和するほうへ思考を向けておきなさい。幸福について――幸福の欠落ではなくて――考えなさい。どういう存在でいたくないかではなく、どういう存在でいたいかを考えなさい。

病気が生まれて長引くのは、病気にネガティブな関心が向いているからだ。病気は自分が弱いという意識や警戒感から生じることを忘れないように。健康についての思考だけでなく、あらゆることについての思考を自分が望む方向に向け、それによって明るくていい気分になっていれば、身体的な幸福は確実だ。

わたしは幸福に関心を向けているか？

ジェリー　これもわたしたちの親しい友人ですが、彼女は自宅に部屋を用意して、健康状態がとても悪化した義母を引き取りました。その義母はいつも自分がどんなに気分が悪いか、具合が悪いか、不幸せかという話や、あの手術、この手術の話ばかりしていました。

その友人の85歳になる実母が休日に娘のところへやってきたのです。実母はそれまで入院したこともなかったのに、その女性――いつも病気のことばかり話している義母――と同じ家に来て1週間もしないうちに健康状態が急に悪化しました。それで入院し、次に介護施設に入りました。そんなふうにほんの数日悪影響を受けただけで、健康状態が急に悪化することがあるのでしょうか？

エイブラハム　いつでもあなたがたのなかには病気と健康の可能性が存在する。そして、関心を向けたことがあなたのなかで強化されて、その思考のエッセンスが現れる。思考は非常に強力なのだ。

85年も生きていると、ほとんどの人は身体について相当な悪影響を受けている（必ずそうだとは限らないが）。保険に入る必要があるとか、埋葬保険の必要があるとか、死に備えて遺言を書いておけとか、いつも健康悪化という思考の爆撃を受けているからだ。だから、その女性はその家で初めて身体的な幸福に関して悪影響を受けたわけではない。

だが、既に彼女が自分の寿命について不安を抱いてぐらついていたところへ、その別の女性の強烈な会話——と周囲の人たちの反応——が影響して、思考のバランスが大きく傾き、たちまちネガティブな徴候が現れた。そして、当人がネガティブな徴候に関心を向けたから、その危険な環境でネガティブな徴候は急激に悪化してしまった。

誰かがやってきて、あなたの思考が健康ではなく病気のほうへ、幸福ではなく幸福の欠落のほうへ、心細くて自己防衛的な、さらには怒りまで感じるような場所へと向くような刺激を与えると、身体細胞はその思考のバランスに反応し始める。そうなればほんの1週間で、あるいは数日で――それどころか数時間で――ネガティブなプロセスが始まることはあり得る。**あなたがたの人生のすべてはあなたが抱いている思考の結果で、例外はまったくない。**

ほかの人の身体的な徴候を自分の経験にする必要はない

エイブラハム　周りの人たちの身体的な徴候を見ていると、そのほうが自分の思考よりもずっとリアルに感じられることが多い。そこで、あなたがたはこんなふうに言う。「エイブラハム、これは現実なんです。ただの思考じゃないんですよ」まるで現実と思考が別のもののようだ。だが思い出してほしい。「宇宙」は目の前の現実についての思考と想像についての思考を区別しない。「宇宙」と「引き寄せの法則」は単純に――現実だろうと想像だろうと、現在だろうと過去の記憶だろうと――あなたの思考に反応する。あなたが周りに見る徴候は誰かの思考が指標となって現れたにすぎないし、ほかの人が思考によって創造したことのためにあなたが不安になったり心細くなったりする必要はない。

変化しない状況などはあり得ない。どんなに身体の状態が悪化していても、健康を回復できないことはあり得ない。だが、健康を回復するには「引き寄せの法則」と「感

情というナビゲーションシステム」を理解し、意図的に明るくていい気分になることにピントを合わせる必要がある。身体が思考に反応していることが理解できれば、そして自分が望む方向に思考を向けることができれば、すべてはうまくいく。

みんなが健康でいるために

ジェリー それではみんなが完璧な健康を維持あるいは回復するために、またお互いに完璧な健康に向けて影響を与え合うためには、どうするのがいちばんいいのでしょうか？

エイブラハム 実は健康を回復するプロセスと維持するプロセスは同じだ。明るくていい気分になることにピントを合わせること。健康の回復と維持との最大の違いは、嫌な気分でいるときよりいい気分でいるときのほうが、いい気分になることを考えるのが簡単だ、ということだ。だから、失った健康を回復するより維持するほうがずっとやさしい。お互いに健康でいるように影響を与え合ういちばんいい方法は、自分が健康に暮らすことだ。病気になるような影響を与えるいちばんいい方法は病気でいることだよ。

今、望まないところにいる人は、ただ明るくて気分のいい思考を見つければいいなんて単純すぎる、と思うだろう。だが、明るくて気分のいい思考を意図的に選んで明るくていい気分になろうと決意すれば、たちまち悩み、苦しみが減っていくことは、わたしたちが約束する。

リラックスしてゆっくりと眠る

エイブラハム　絶対的な「幸福」、それがあなたがたの自然な状態だ。もう病気と闘う必要はない。ただリラックスして元気になりなさい。今夜ベッドに入って眠るときには、ベッドの素晴らしい心地よさを存分に感じなさい。伸び伸びできる広いベッド。気分のいい枕。夜具の肌触り。**明るくて気分のいいことに関心を向け、明るくて気分のいいことを考えているときには、病気の燃料が断たれる。明るくて気分のいいことを考えているときには、病気の進行が止まる。病気のことを考えていれば、病気という火に油を注ぐことになる。**

5秒間、明るくて気分のいいことを考えれば、5秒間は病気への燃料供給が止まる。10秒間そうしていれば、10秒間病気への燃料供給が止まる。今とても明るくていい気分だと考え、幸福な状態が当たり前なのだと考えれば、幸福に燃料が供給される。

ネガティブな気分は不健康な思考のしるし

エイブラハム　病気のことを考えてとてもネガティブな気分になるのは、その思考があなたのもっと大きな知識とまったく調和しないので、「本当のあなた」が共鳴しないからだ。病気に対する不安や怒りや恐怖といったネガティブな気分、それは自分と「本当の自分」の間のエネルギーの流れを強く阻んでいる明確なしるしなのだ。「内なる存在」から発する「見えない世界のエネルギー」が十分に流れるようにすれば、元気になる。だから、自分は元気だとか、快くなる、健全だ、健康な状態が自然なのだ、と考えると、その考えは「内なる存在」が知っているあり方と調和し、「内なる存在」から発する思考の「エネルギー」の恵みを十分に受け取ることになる。

すべての思考は波動だ。だから、明るくて気分のいい思考にピントを合わせていると同じような思考が次々に引き寄せられてくる。やがてあなたの思考の周波数はあなたが「内なる存在」に十分に包まれるところまで上昇するだろう。そのときあなたは「幸福」という場所におり、身体という装置はすぐにそれに追いつく。それがわたしたちの絶対的な約束だ。そのとき、あなたは身体的回復の劇的な証拠を目にするだろう。それが「法則」だから。

身体はどこまでコントロールできるか？

ジェリー　この章のテーマは「健康とダイエットと心についてのバランスのとれた見方」ですが、そこに到達してとどまるにはどうすればいいですか？　実に大勢の人たちが体重のこと、身体のこと、精神的健康状態のことを心配していますね。身体的不調にはどうしても関心が向きますから、人々が心配するのも無理はないと思います。

幸いというか、わたしは子どものころに自分の身体は自分でコントロールできると気づきました。9歳くらいだったと思いますが、カントリーフェアのカーニバルで二人のボクサーがお客の相手をしているのを見ました。見ている農夫たちの誰でもリングに上がってボクサーと闘うことができ、もし農夫のほうが勝てばお金をもらえるのです。でもどの農夫もこてんぱんにやっつけられていました……。

石油かガスのランプに照らされた小さな布製テントのなかに立って見ていたことや、ちらちらする明かり、プロボクサーの汗に濡れた背中なんかを今でも思い出します。見事な筋肉に覆われて背骨が見えないその背中に、わたしはうっとりしていました。自分の背中はアーカンソー州のマスコットのトゲイノシシみたいにでこぼこだった。自分の背中には筋肉がついてなくて背骨が見えているのに、ボクサーの背中は筋肉隆々で背骨が見えない。なんて素晴らしい筋肉だろうと思いました。その日の光景にあんまり感動したので、それから8年たったときにはわたしの背中にも同じような筋肉がついていました。その経験から、自分の身体は自分で創れるものだとわかったのです。

子どものときにとても病弱だったので、自分の健康をなんとか自分でコントロールすることも学びました。何度か医者にもかかりましたが、診断も治療もたいていは間違っていたんです。それで信頼できる医者は見つからないから、医者には行かないほうがいいと悟りました。わたしに関するかぎり、医者のすることはほとんど間違っていたので、自分の身体のめんどうは自分で見たほうがいい、と決めました。

それでもやはり、いつまで元気でいられるだろう、将来自分の身体はどうなるのだろうと、多少は考えます。この完璧な体重、健康、心の状態をこのまま維持できるでしょうか？　今は申し分ない状態ですが、いつまでもこのままでいられるだろうか、とときどき思うんですよ。それでこのテーマについて話していただきたいんです。

エイブラハム　あなたの言葉の組み合わせ方はとてもいい。身体と心はいつもつながっているからね。あなたがたの身体は常に思考に反応している。それどころか、それ以外のなんにも反応していない。身体はあなたがたがどんなふうに考えているかを純粋に反映している。自分の思考以外に身体に影響を与えるものはない。あなたは小さいころに自分の身体はある程度まで自分でコントロールできると知ってよかった。自分が考えることと獲得することには絶対的な関係があると知っていれば、いずれはどんな条件のもとでも自分の経験をコントロールできる。望まないことを経験せず望むことだけを実現するのに必要なのは、コントロールする力を既に持っていると気づくこと、そして経験したいと思うことに意図的に思考を向けることだけだ。

身体が衰えると考えると必ず嫌な気分になるのは、衰えることを望まないからだ。だから「ナビゲーションシステム」を活用して、明るくて気分のいい思考を選びなさい。そうすれば将来を心配する理由は何もない。簡単なことだよ。決意すればいい。自分だけが——絶対的に——身体という装置をコントロールしていることを認識しなさい。**自分は自分の思考の結果だ**ということをわたしは知っている、とね。

生まれたとき、あなたは自分のベースが絶対的な自由であること、これからの探求が喜びであること、人生経験の結果が成長であること、自分が完璧であって、なおも完璧を目指していることを知っていた(希望したのでも望んだのでもなく、深く理解していた)。

意識的に筋肉や骨を増やせるか?

ジェリー　わたしは若いころ、意識的、意図的に筋肉をつけました。それを望んだだからです。だが、骨にも意識的な影響を及ぼすことができるのでしょうか？

エイブラハム　できるよ——同じ方法で。違いは、筋肉については現在そう信じられているが、骨についてはそう信じられていない、ということだ。

ジェリー　そのとおりですね。わたしは素晴らしい筋肉をつけた男性を見て、自分もそうなりたいと思いました。そして、ほかの人がそうしているのを見て、自分にもできると信じました。でも、骨が変化したなんて見たことがないのですが。

エイブラハム　あなたがたの現在の社会でもっといろいろなことが迅速に変化しないのは、人々の関心が圧倒的に「今の状態」に向いているからだ。変化を起こすには、「今の状態」を超えたところを見なくてはいけない。

証拠を見なければ信じないのなら、あなたがたの進歩はとんでもなく遅くなる。それは誰かが実際に創造してから初めて信じるということだから。だが「宇宙」と「引き寄せの法則」が想像という思考にも観察という思考にも同じように素早く反応することを理解すれば、誰かがやってみせてくれるのを待たなくても、もっと迅速に新たな創造に進むことができるだろう。

ジェリー　すると「パイオニア」になれ――踏み出す最初の人間になれ、ということですね。

エイブラハム　「最先端」に求められるのはビジョンとポジティブな期待だ。だが、そこは最も力強い高揚感がみなぎる場所なのだよ。願望を抱き、その実現にまったく疑いを持たないでいることは、可能なかぎりで最も満たされる経験だが、何かを望んでも実現する能力は自分にないと思っていると、嫌な気分になる。望むことだけを考え、疑いや不信に満たされた矛盾した考えを持たなければ、「宇宙」はあなたの願望にすぐに応えてくれるし、あなたも意図的な思考が持つパワーを感じられるようになる。だがそういう「純粋な」思考には練習が必要だ。そのためには「今の状態」の観察ではなく、自分が経験したいと思うことのビジュアライゼーションに時間をかけなさい。物質世界の経験について今までよりももっといい新しいストーリーを語るには、時間をかけて自分が経験したいことを考え、口にしなくてはいけない。

あなたがたにできる最も力強いこと――どんな行動よりも大きな「てこ」の作用があること――は、毎日時間をかけて自分が望む人生をビジュアライゼーションすることだ。毎日15分くらい一人になれる静かな場所に行って目を閉じ、こうだったらいいなあと思う身体、環境、人間関係、人生を想像しなさい。

今までのことはこれからどうなるかとなんの関係もないし、他人の経験はあなたの経験にはなんの関係もない。だが、自分が望む自分になるには、そういったもの――過去や他人――から自分を引き離す方法を見つけなくてはならない。

願望が信念に勝ったとき

ジェリー　人は何千年も走ってきましたが、誰も1マイルを4分で走れるとは思っていませんでした。ところがロジャー・バニスターという人がそれを成し遂げ、そうしたらほかにも大勢の人が「1マイルを4分で」走れるようになったんです。

エイブラハム　ほかに誰も成し遂げた人がないという事実に妨げられずに何事かを成し遂げた人は、ほかの人にとってもとても貴重な存在になる。その人たちが突破口を開いて新しいことを創造すれば、ほかの人たちはそれを見て信じ、期待するようになるから。だからこそ、あなたがたが成し遂げるすべては社会にとって価値がある。

前進的に生きるためのあなたがたの土台は拡大し続け、誰にとっても人生はどんどんよくなっていく。だが、自分の目で見なければ信じないという態度はやめたほうがいい。それよりも信じればその証拠が見られる、ということを理解してほしい。心のなかで繰り返してごく自然に感じられるようになったことは、なんでも必ず物質の世界で実現する。「引き寄せの法則」がそれを保証している。

何かが実現可能であることを証明しようとするとき、あるいは自分が実現しようとするとき、誰かがそれを成し遂げるまで待たなくてもいいと気づけば、素晴らしい解放感を感じるだろう。新しい考えを実践し、もっと明るくていい気分を目指し、そして「宇宙」が提供してくれる証拠を目にすれば、あなたがたは自分の真の力に気づくだろう。**誰かにあなたは不治の病ですと言われても、自信を持ってこう言うことができる。「わたしは生きるつもりだ。わたしの経験の創造者はわたしだから」あなたの願望が十分に強力なら、ネガティブな信念を超えて回復が始まるだろう。**

それは子どもが何かの下敷きになった母親のストーリーと同じだ。普通なら自分にはとても持ち上げられないような重量のものでも、子どもを救いたいという願望が強い母親は持ち上げる。普通ならそんな重いものは持ち上げられるはずがないが、そこまで強い願望のもとでは通常の信念は棚上げになる。その母親に「あれを持ち上げられると思いますか?」と尋ねれば、母親は答えるだろう。「もちろん、思いません。荷物を詰めたスーツケースだって持ち上げられないんですよ」だが、子どもは死にかけていて、母親はなんとか子どもを救いたいと願った。だから持ち上げられたのだ。

ジェリー　わたしは本当に健康でいたいのですが、同時に病気に感染するのではないかとも思っています。それで誰かを病院に見舞うときには、バイ菌を吸い込まないように息を詰めて廊下を歩いているんです。

エイブラハム　それじゃ、大急ぎで帰らなくちゃいけないね（いや、冗談だ）。

ジェリー　そうなんです。長居はできませんし、できるだけ窓の近くで新鮮な空気を吸っています。息を詰めていればバイ菌を吸い込まずにすむと信じていれば、その信念が病気を防いでくれるでしょうか？

エイブラハム　あなたはおもしろいやり方で波動のバランスを維持している。あなたは健康を望み、バイ菌が原因で病気になると信じ、バイ菌を避ければ病気を防げると信じている。それでうまくバランスがとれているわけだ。だが、それは大変なやり方だね。

あなたが本当に「ナビゲーションシステム」に耳を傾けるなら、バイ菌で健康が損なわれると思うような環境には行かないだろう。病院に行くときの不安は、あなたが波動の調和を達成せずに行動しようとしているしるしだ。病院に行くのをやめてもいいが、見舞いに行けば病気の友達は喜んでくれるだろうと思うから、落ち着かない気分になる。だから、不安にならずに見舞いに行く方法を見つければいい。病院に行くという行動の前に波動を整えることだ。そのうちにあなたは自分の「よいあり方（ウェル・ビーイング）」をしっかりと信じ、「よいあり方（ウェル・ビーイング）」を望む気分がますます強くなって、どんな環境に入っても「よいあり方（ウェル・ビーイング）」を脅かされると感じなくなる。

「本当の自分」と調和し、強力な「ナビゲーションシステム」に注目していれば、「よいあり方（ウェル・ビーイング）」が損なわれるような環境には決して行かないだろう。残念ながら多くの人は他人を喜ばせようとして「ナビゲーションシステム」をないがしろにする。あなたが言ったように二人の人間が病院に行くとして、一人は「よいあり方（ウェル・ビーイング）」への脅威を感じないが、もう一人はとても大きな脅威を感じたとする。最初の人は病気にはならず、あとの人は病気になるかもしれない。それは病院にいるバイ菌のせいではなくて、当人と「よいあり方（ウェル・ビーイング）」についての見方の波動の関係のせいだ。

わたしたちはあなたがたの信念を変えさせようとしているのではない。あなたがたの信念が適切でないとは思わない。ただ「感情というナビゲーションシステム」をしっかり認識して、願望と信念の波動のバランスを確立してほしいと思っている。「正しい」こととは、あなたの意図と今の信念が調和することだ。

ジェリー　それでは「臆病者として逃げ出す」のは悪いことではないのですか？

エイブラハム　他人を喜ばせるために「ナビゲーションシステム」を無視する人はたくさんいる。それに他人よりも自分を喜ばせようという勇気を持つ人を「自己中心的」とか「臆病者」とよぶ人もたくさんいる。その人たちは自分の要求が偽善的だと気づかず、（あなたが自己中心的な彼らに従おうとしないから）あなたを「自己中心的」だと言うだろう。

わたしたちは「自己中心的」になることを教えるとときどき非難される。確かにそのとおりだ。あなたがたが自分の波動を整えて「源（ソース）」（本当の自分）との調和を図るくらい自己中心的でなければ、ほかの人の役に立つこともできない。あなたを「自己中心的」「臆病」という人は明らかに波動が乱れているのであって、あなたが自分の行動を修正してもその人たちの波動をバランスさせることはできない。

あなたが身体的な「よいあり方（ウェル・ビーイング）」について考えて話すことが多ければ、それだけ「よいあり方（ウェル・ビーイング）」の波動パターンはしっかりしたものになり、そうすると「引き寄せの法則」によってますますその信念に合ったものが引き寄せられてくるだろう。**自分の**

「よいあり方（ウェル・ビーイング）」のストーリーを語れば語るほど、自分が弱いとは感じなくなり、引き寄せの作用点が変化して以前とは違う事柄が引き寄せられてくるし、新しい状況に対するあなたの感じ方も違ってくるだろう。

望むほうに導かれていく

エイブラハム　望む人生を実現する唯一の方法は、抵抗の少ない道、あるいは最も「許容・可能にする」おおらかな道を通ることだ。それはあなたの「源（ソース）」「内なる存在」「本当のあなた」、そしてあなたの願望のすべてとのつながりを「許容、可能にする」道でもある。そして何を「許容・可能にしている」かは、明るくていい気分かどうかで示される。明るくていい気分を最優先していれば、望んでいる健康と調和しない会話を不快に感じる。それは抵抗があるよという警告だ。そのときにはもっと明るくて気分のいい思考を選べば、もとの道に戻ることができる。

　ネガティブな気分になるのは、もともとあなたに届くはずの「幸福の流れ」を阻む抵抗の思考を放出しているぞと、「ナビゲーションシステム」が気づかせようとしているからだ。「ナビゲーションシステム」が、「ほら、またやっている。ほらほら、またやっている。このネガティブな気分は望まないものを引き寄せているという意味だよ」と言っているのだ。

多くの人は「ナビゲーションシステム」を無視して、ネガティブな気分をそのままにし、「もっと広い視点」からの導きを活用しない。だが、いったん人生のなかで何を望むかがはっきりしたら、それと反対のことに目を向ければ、あるいは望みが満たされていないほうへ目を向ければ、必ずネガティブな気分になる。いったん願望が生まれたら、明るくていい気分になるためには、その願望に目を向けなければならない。**人生が仕向けてくれたあり方より劣るあり方に戻ることはできないからだ。**元気になりたいとか、具体的にこんな身体の状態になりたいという願望が明確になったら、願望が満たされていないというほうへピントを合わせると必ずネガティブな気分になる。

ネガティブな気分になったら、必ずしていることや考えていることを中断して、「わたしは何を望んでいるだろう」と考えなさい。そうやって望むほうへ関心を向ければ、ネガティブな気分は消えて明るくて前向きな気分になり、ネガティブな引き寄せは止まってポジティブな引き寄せが始まる。こうしてあなたは正しい道に戻る。

まず、自分自身を喜ばせる

エイブラハム　しばらくの間ある種の考えを引きずっていたら、急に思考を転換するのは容易ではない。「引き寄せの法則」によって今の思考の流れに似た思考がどんどん引き寄せられてくるからだ。あなたがネガティブな気分でいるときには、ネガティブな場所にいない人はあなたのネガティブな見方に賛成しないから、あなたはよけいに自分を弁護したくなる。だが、**自分を弁護したり正当化したりすれば、ますます抵抗状態にとどまることになる。多くの人たちが不必要な抵抗を続けているのは、明るくていい気分になることより「正しい」ことのほうが重要だと考えているからだ。**

自分が正しいと説得したがる人たちと出会い、その人たちの正しさを証明しようとするネガティブな会話に引き込まれそうになっても、相手の言うことに耳を傾けず賛成もしないでいると、あなたは「気遣いがない」とか「冷たい」などと言われるだろう。だが、あなたを共鳴板として使いたがるネガティブな友人を喜ばせるために、自分の明るくていい気分(それはより広い視点と調和する考えを選んだときに生まれる)を失うと、非常に大きな代償を払うことになり、しかも自分にも相手にもなんの役にも立たない。そのときあなたが胸のなかに不快なかたまりを感じるのは、この振る舞いや会話はあなたが望むことと調和していない、と「内なる存在」が知らせているからだ。あなたはまず自分を喜ばせなければいけない。そうでないと周りのネガティブな雰囲気に押し流されてしまう。

適切な死にどきはあるか?

ジェリー　１００歳くらいになったら、身体条件をコントロールする力にも限界があ

ります か?

エイブラハム　あなた自身の限りある思考が引き起こす限界だけだ。すべて自分が招いていることだ。

ジェリー　死ぬべきときというのはあるのでしょうか？　あるとすれば、いつですか？

エイブラハム　あなたという「意識」には決して終わりはない。だから、本当は「死」もない。だが、今あなたの「意識」が自分だと考えている特定の身体を流れる時間には終わりが来るだろう。

今のこの身体から焦点を引き上げるときを選ぶのはあなただ。明るくていい気分になることに焦点を定めることを学んでいれば、そしてこの環境にワクワクする興味深いことを発見し続けていれば、限りなく今の身体に焦点をとどめておくことができる。だがネガティブな面に焦点を定めて、「ソースエネルギーの流れ」との「つながり」を慢性的に減らしていけば、物質世界の経験は短くなる。身体という装置は「ソースエネルギー」の補充なしには長く持ちこたえられない。ネガティブな気分はあなたが「ソースエネルギー」の補充を断っているというしるしだ。幸せになり、長生きしなさい。

すべての死は自殺か？

ジェリー すると、すべての死は一種の「自殺」なんでしょうか？

エイブラハム そういう言い方もできるだろう。あなたがたが経験するすべては自分の思考のバランスが原因で、誰も代わりに考えたり波動を出したりはできない。だから、あなたがたの人生経験に起こるすべては——あなたがたが肉体的な死とよぶものも含め——自分で引き起こしている。ほとんどは死ぬと決めるわけではない——ただ、生き続けると決めないだけだ。

ジェリー 死ぬと決めて、わたしたちが自殺とよぶ行動をとる人たちについては、どうお考えですか？

エイブラハム それが意図的に焦点を定めた思考でも、ただなんとなく何かを見て考えたことでも、違いはない。思考は思考であり、思考の波動を出して、その波動が現実化した結果を刈り取るのだ。だから、目的意識を持っていてもいなくても、いつも自分の現実は自分で創造している。

いろいろな理由からあなたの振る舞いをコントロールしたがる人がいるし、あなた自身の個人的な経験までコントロールしたがる人さえいる。だが、他人をコントロールすることはできないし、コントロールしようとする努力はすべて無益で無駄だから、その人たちは非常に大きな欲求不満を感じる。そこで誰かが意図的に「自殺」という方法でこの物質世界の経験から自分を解放することを考えると、多くの人が落ち着かない嫌な気分になる。だが、この物質世界から離れても、あなたがたは存在するのをやめるわけではないし、その解放が意図的な「自殺」でも意図せざるものでも、あなたがたは「永遠の存在」として存在し続けるし、離れてきた物質世界の経験を振り返って愛と高い評価だけを感じるだろうということは理解してほしい。

あまりに多くの憎悪を抱いてこの物質世界の経験を生きているために、「幸福の流れ」から慢性的に切り離されて、そのために死ぬ人もいる。また、ここに焦点を置き続けるだけの理由を見いだせなくなって、「見えない世界」に関心を向け、それが理由で死ぬ人もいる。「エネルギー」や思考や調和が理解できず、明るくていい気分になりたいと必死に望んでも長年生きてきた慢性的な苦痛を止める方法がわからなくて、もう一度「見えない世界」に戻ることを選ぶ人もある。いずれにしてもあなたがたは「永遠の存在」で、「見えない世界」に焦点を定めれば再び全体となり、新しくなり、「本当の自分」と完璧に調和する。

ジェリー　それではわたしたちは誰でも、それぞれの人生経験をどれくらい続けるかをある程度まで選んでいるのでしょうか？

エイブラハム　あなたがたは生きて楽しく拡大することを目的に、この世界にやってきた。あなたがたが「ナビゲーションシステム」を無視し、「源（ソース）」とのつながりを断ち切る考えを続けていれば、元気を補充してくれる「ソースエネルギーの流れ」とのつながりが細くなる。その支えがなければ、あなたがたは萎（しお）れる。

体重を管理する方法

ジェリー　体重をコントロールしたい、ダイエットをしたいという人たちには、どんなプロセスを勧めますか？

エイブラハム　それについてはとてもたくさんの信念があり、たくさんの異なる方法が試みられてきた。体重をコントロールしたいと苦労している「存在」のほとんどは、いろいろな方法を試みても成果があまり長続きしなかった。それで、その人たちは体重をコントロールすることはできないと信じている。だからコントロールできない。

わたしたちが勧めるのは、こうなりたいという自分をビジュアライゼーションすること、こうなりたいという自分を見て引き寄せることだ。いったん自分が見たい自分を見るようになれば、ほかの人もすぐに同じように考えて確認してくれるだろうし、そうなる環境や出来事を経験できる。

太っていると感じていたら、痩身を引き寄せることはできない。貧しいと感じていたら、豊かさを引き寄せることはできない。今の自分——自分が感じる自分の状態——が引き寄せのベースだ。だから「よくなるときにはどんどんよくなるし、悪くなりだすとどんどん悪くなる」。

何かについてネガティブな感情を持っているなら、それと闘って今すぐに解決しようと思わないほうがいい。ネガティブな関心は事態を悪化させるだけだから。その考えから自分を引き離して、明るくていい気分になりなさい。それから前向きの新たな視点からもう一度取り組むこと。

ジェリー　それでは「過激なダイエット」をして大きく体重を減らした人がリバウンドしてしまうのはそのせいですか？　願望は強いが信念が持てず、痩せた自分を描き続けられないので、また太った自分に戻ってしまうのでしょうか？

エイブラハム　その人たちは食べることを望む。そしてある種の食べ物は太ると信じている。だから、望まないことを信じて思考を向けるわけだ。そして、自分が望まないことを創造する。それは難しいやり方だ。痩せてもすぐにリバウンドする理由のほとんどは、自分が望む自分のイメージをつかめないからだろう。自分が太っていると感じ続けている。太っていると考え、そういう自分のイメージを抱いている……あなたがたの身体は自己イメージに反応する——常に。だから健康な自分を見ていれば、健康になる。痩せている自分を見ていれば、あるいは筋肉のつき方でも形でも体重でも望むとおりの姿を見ていれば、それが実現する。

好きなだけ食べてもいいか？

エイブラハム　わたしたちの助言どおりに喜びに従っていると——いつも明るくていい気分になることに目を向けていると——好きなだけ食べ続けて健康を損ない体重も増えてしまう、と反論する人たちがいる。だが人は多くの場合、明るくていい気分になるためではなくて、空虚感を満たすために食べ物を選んでいる。しかし波動のバランスを大事にしていれば、そして自分が望む身体イメージに方向づけられた思考のパワーを知っていれば、そしてある種の食べ物はその願望達成を阻むと信じていれば、ネガティブな気分が導きとして現れる。**ネガティブな気分がする行動を実行するのは決していいことではない。ネガティブな気分は「エネルギー」のアンバランスを意味しているし、ネガティブな気分で行う行動は常にネガティブな結果を生み出す。**

ネガティブな気分が生じるのは、ある種の食べ物が「よいあり方（ウェル・ビーイング）」に反するからではなくて、そのときの思考が矛盾しているからだ。二人の人が同じダイエットをして同じ運動メニューを実行しても正反対の結果になるのは、食べ物の摂取やカロリー燃焼とは別の方程式の要素があることを意味している。**どんな結果になるかは常に思考によって引き起こされるエネルギーの調和で決まる。**

簡単にいうと「幸せになりなさい。それから食べなさい。食べることで幸せになろうとしてはいけない」ということだ。バランスのとれた気分を最優先しようと決めれば、食べ物との関係も食べたいという衝動も変化するだろうが、もっと大切なのは食べ物に対する反応が変化することだ。波動を整えずに食べ物に関する「行動」を変化させても最小限の成果しか上がらないが、「思考」を変えれば「行動」を変える必要なしに大きな成果を上げられる。

そこでわたしたちが言いたいのは、あなたは痩せたいと思ったが、今の自分に望ましい自分の姿を見ていない、ということだ。あなたの信念は「これを食べたら太るだろう」というもので、痩せたいという願望と同時に食べたら太るという信念があるから、食べるとネガティブな気分になる。「罪悪感」「失望」「怒り」なんとよんでもいい――いずれにしても食べると嫌な気分になる。そのような信念と願望のもとでは、その行動は調和がとれていないからだ。自分が至福と感じることを追求するなら、信念と調和したものを食べれば明るくていい気分になり、調和しないものを食べれば嫌な気分になる。あなたのなかで願望がしっかりと確立されれば、願望と矛盾する行動をしようとすると必ずネガティブな気分になる。

食べ物に関する信念

エイブラハム　食べ物に関する信念は、あなたの人生経験のなかにはっきりと反映される。

- 何を食べても太らないと信じていれば、そのとおりのことを経験する
- すぐに太ると信じていれば、そのとおりになる
- ある種の食べ物で元気になれると信じていれば、そのとおりになる
- ある種の食べ物はエネルギーの低下につながると信じていれば、そのとおりになる
- 痩せたいと思い、だがあるダイエット法では痩せられないと思えば、そしてそのダイエット法に従えば太るだろう

あなたがたの食べ物に関する信念を分析し、それがどう現実に影響するかを説明すると、初めは首を傾げる人が多い。自分の信念は経験の観察をもとにしていると信じているからで、自分やほかの人たちの人生をもとにした「事実という」証拠があると思っているので、なかなか説得されない。

だが結果を観察しても、数少ない不適切な情報が得られるだけだ。願望と期待という要素を考慮に入れず、何を食べて何を食べなかったかという行動だけを計算しても無駄だからだ。創造と結果の理解に関するレシピから最も重要な要素を排除したら、なんの意味もない。

人々の食べ物に対する反応が違うのは、食べ物は定数ではないからだ。思考が定数なのだ。違いが生じるのは、食べ物に関する考え方のせいなのだ。

他人の意見はどうでもいい

質問　「大切な人」に、わたしの腹部にぜい肉がついているからがんばって痩せたほうがいいと指摘されました。もっと運動し、食事を減らすか、サラダを注文しなさい、というのです。彼女はわたしにとって「大切な人」なので、ショックでした。そしてぜい肉は増えるばかりです。

エイブラハム　あなたに理解してもらいたいいちばん大事なことは、「人」という言葉を使うときには、必ず「大切でない」という形容詞をつけるべきだ、ということだね（いや、冗談だが）。

もちろん、あなたがたの人生に大切な人がいることはわかっている。だがその人たちの意見を自分の意見より重要視してはいけない。そして誰かに何かを言われて、嫌な気分がすることにピントを合わせれば、必ずネガティブな影響を受ける。

他人の意見は自分とは無関係だという考えをしっかりと持つように心がけてほしい。自由を経験できるのは抵抗を捨てたときだけで、それは自分の恒常的な思考を「内なる存在」の思考といつも調和させておくことを意味する。他人の願望や信念を取り込むと、決してその調和を実現できず、自由も感じられない。

だから誰かに「あなたには気に入らないところがある」と言われたら、「それではほかのところを見てください。鼻なんかどう？　かわいい鼻でしょう？　それとも耳は？」と言えばいい。言い換えれば、わたしたちなら他人に肯定的な側面を見ることを促すし、それも楽しい冗談まじりにして、自分が傷ついたりはしない。それどころか何を言われても傷つかなくなるまで、しっかりと人生に対するポジティブな思考を確立するように心がけるだろう。

身体に関する「古い」ストーリーの例

「わたしは自分の身体が気に入らない。引き締まってスマートだったときもあったが、それを維持するのは容易なことじゃなかったし、どうしても長続きしなかった。ちょっとでも望みの身体に近づくためには、いつでも大変な努力をしなければならないし、そんなことは長くは続かない。好きなものを食べずに我慢しても、結局たいした成果が上がらないのにはうんざりだ。本当につらい。もともと新陳代謝が悪くて、おいしいものをたくさん食べてはいけないのだ。本当に不公平だと思う。だが、太るのも嫌だし……」

身体に関する「新しい」ストーリーの例

「わたしの身体は大部分が自分の思考の反映だ。思考を方向づけることにどんなパワーがあるかを理解してよかったと思うし、思考の変化によって身体に具体的な変化が現れるのが楽しみだ。希望するサイズや形になると予想するとうれしい。それに変化が起こるという自信がある。そうなるまでの間も明るくていい気分でいるし、今の自分を嫌だとは思わない。目的を持って考えるのは楽しいし、意図的に選んだ思考の結果が現れるのを見るのはもっと楽しい。わたしの身体は思考にとてもよく反応する。

それがわかっているのがうれしい」

いいストーリーを語るのに、正しい方法も間違った方法もない。過去についてでも、現在についてでも、将来の経験についてでもかまわない。重要な基準は一つ、もっと明るいい気分になるもっといいストーリーを語ろうという意志をはっきりと持つことだ。一日中、明るくて気分のいいショートストーリーをたくさん語っていれば、引き寄せの作用点が変化する。あなたが語るストーリーが人生のベースであることを忘れないように。だから自分が望む人生のストーリーを語りなさい。

Part5

喜びとお金の源泉としてのキャリア

キャリア選択の第一歩

ジェリー　正しいキャリアを選んだかどうかを知るには、どうすればいいとお考えですか？　それから、選んだキャリアで成功するにはどうすればいいでしょうか？

エイブラハム　キャリアとはなんだと思う？

ジェリー　キャリアはライフワークのようなものでしょう。人生をかけて、最善を尽くし、全力を挙げられる職業、といえばいいかな。もちろん、たいていは金銭的な見返りも求めるでしょうね。

エイブラハム　それではライフワークとは？

ジェリー　人が残る生涯を捧げようという仕事。職種、専門職、ビジネス、商売などですね……。

エイブラハム　すると一つのキャリアを選んで、それからあとはそのなかでいつまでも幸せに暮らす、というのが、あなたがたの社会に広く行き渡った信念というか、みんなが受け入れている信念だというわけだね？

ジェリー　そうですね。わたしが知っているかぎりでは伝統的にそうなんじゃないかな。わたしは小さいころから、大人になったら何になるんだい、と質問されました。今考えてみると、小さいときから周りの大人たちに早くキャリアを選べとせかされていた、っておもしろいですね。きれいなガラス瓶入りのおいしいミルクが配達されると、配達車を見送りながら、牛乳配達になりたいなと思ったことを覚えています。それから警察官が母親に指示して路肩に車を止めさせるのを見て、母にそんなことをさせられるなんてすごいと思い、しばらくは警察官になろうと決めていました。それから少しして腕を折って治療してもらったときには医者になろうと思い、家が火事になったときには消防士になるのがいちばんいい、と思いましたね。

人に大人と思われる年齢になってからも、いつも変化する視点からいろいろな人たちを見てはたくさんの選択肢を考えていました。わたしが一つの「ライフワーク」や「キャリア」を決めないで次々にいろいろなことをするので、周りの人たちはちょっと失望していましたよ。

エイブラハム　いろいろな出来事に影響されて、大人になったらこんな仕事に就くんだと考えたあなたの少年時代を、多くの人たちは子どもっぽいとか非現実的だと言うかもしれない。だが、あなたがたに知ってほしいのは、人はいつでも人生の出来事からインスピレーションを得るものだし、そのインスピレーションから生まれる考えの流れに従えば、（家業だからとか、収入が多いからというような）人が普通職業選択を正当化する理由でキャリアを選ぶよりも格段に楽しい経験ができる可能性がある、ということだ。

何をして一生を過ごすかを決めるのは難しいと思う人が多いのは意外ではない。あなたがたは多面的な「存在」で、いちばん大きな目的は絶対的な自由というベースを楽しむこと、そして楽しい経験を追求するなかで拡大と成長を経験することなのだから。言い換えれば、「自由」を実感しなければ決して本当に「楽しむ」ことはできない。そして、楽しみがなければ真の「拡大」も経験できない。だから、多くの人は子どもっぽいと考えるかもしれないが、人生経験に触発されて次の冒険を、さらに次の、また次の冒険をしようと思うのはごく自然なことなのだよ。

できるだけ早いうちに、自分の最大の目的、最大の存在理由はいつまでも幸せに暮らすことだ、と肝に銘じることを勧めたい。これはとても優れたキャリア選択だ。あなたがたの核心である目的――自由と成長、そして喜び――に調和した願望を持ち、それに合った活動を目指すこと。**十分な収入が得られる仕事を見つけ、得たお金で好きなことをして幸せになろうとするよりも、幸せに生きることを「キャリア」にしなさい。幸せな気分でいることがなによりも重要だと考えれば――そして「生活のために」することが幸せであれば――あなたは最高の組み合わせを発見したことになる。**

どんな条件のもとでも、あなたは明るくていい気分になれる。だが、まずバランスのとれた波動を上手に実現できれば――そしてその幸せな場所から環境や出来事を引き寄せれば――幸せを維持する可能性はとても大きくなる。

「お仕事は？」

ジェリー　今でも人々が職業というものを持たず、その日暮らしをしているような（たいていは原始的とか野蛮だといわれる）社会がありますね。言い換えれば、おなかが空いたら魚をとったり木から果物をとる、という社会です。

エイブラハム　その人たちはこの本を読むだろうか（いや、冗談だよ）（いいえ、読まないでしょうね）。それでは、この本を読むのは基本的にはどんな人たちだと思う？

ジェリー　所得を生む職業を持つことが大切だと信じている人たちです。

エイブラハム　若いうちにキャリアを見つけて、一生そのキャリアを追求すべきだ、と人々が信じる最大の理由は何だと思う？

ジェリー　もちろんわたしが万人を代表して発言するわけにはいきませんが、収入を得られる仕事を探すべきだ、探さなくてはいけない、それが倫理的、道徳的だということなんじゃないでしょうか。言い換えれば、何も提供せず、なんらかの意味で生産的なことをしないでお金を受け取るのは不適切だ、ということです。

エイブラハム　そのとおり。ほとんどの人はなんらかの努力や仕事を通じて自分の存在を正当化する必要を感じている。たぶんそのせいで、出会った人にはまず「お仕事はなんですか？」と聞くのだろうね。

ジェリー　わたしは約40年間、1日に1時間半働いて生活してきました。それでよく、そんな短時間しか働かないでそれだけの収入が得られるなんて、と恨みがましい言葉を聞かされましたよ。するとわたしのほうも、その90分にどれほどのエネルギーを注いでいるか、そうなるまでに何年かかったか、仕事にとりかかるだけでもどれほどの気力が必要かを説明して、自分を正当化しなくてはならない気になりました。言い換えれば、わたしはいつも受け取るものに対して正当な代価を支払っている、と自分を正当化する必要を感じていたのです。

エイブラハム　波動が整っているときには（つまり自分のなかの「源（ソース）」や願望、信念と調和していれば）、他人に対して自分を正当化しなくてはならないとは感じないよ。多くの人は自分の行動や思考を正当化しようとする。だが、自分自身の「ナビゲーションシステム」ではなく、他人の意見を指標にして調和を図ろうとするのは、決していいことではない。

あなたがたが若いころに出会う人の多くは、その人たちのルールや意見にあなたがたを従わせようとする。だが、その人たちが望むことを基準に意思決定をしていたら、あなたはどんどん「本当の自分」との調和から外れ、生まれたときの意図からも人生経験のなかで展開していく意図からも外れてしまう。他人を喜ばせたいという願望は放棄して、代わりに自分の感情を大切にして明るくて気分のいい思考を選び（その気分はあなたが調和したというしるしだ）「本当の自分」（あなたの「源（ソース）」）と調和しようという強い意志を持たないかぎり、決して自由という甘美な経験をすることはできない。

誰かがあなたを認めなかったり攻撃していると感じたら、自己防衛しようと思うのは自然だ。だが「内なる存在」と調和するように心がけていれば、そんな自己防衛の必要性はすぐに消える。なぜなら、自己防衛しなければならないと思う弱さが、「本当の自分」という地に足のついた確かな感覚に変わるからだ。

どんな選択をしようと、その選択に反対する人は必ずいる。だが、あなたがバランスをとり、調和を維持していれば、見る人のほとんどはあなたの成功を批判するより成功の秘訣は何ですかと聞きたがるだろう。それでも批判する人は、あなたがどう正当化しようとも、どんなに正当な主張をしようとも、満足しないはずだ。

人が満たされない気分でいるのを解決してやるのはあなたの役目ではない。あなたの役目は自分自身のバランスをとることだ。何を望むべきか、どう振る舞うべきかについて、社会や他人に指図されていたら、あなたはバランスを失ってしまう。自由の感覚――それはあなたという「存在」の核心だ――が脅かされるからだ。自分の気分に関心を向けて、「本当の自分」と調和した自分を力強く育てる思考を実践すれば、豊かさのお手本を示すことができるし、あなたを見る人たちにもとても大きな価値がある。

あなたがいくら貧しくなっても、それで貧しい人々が豊かになるわけではないし、あなたがいくら病気になっても、それで病人が回復するわけでもない。あなたが人を高められるのは、自分自身に力があり、明晰で、調和がとれているときだけだ。

「引き寄せの法則」とキャリア

エイブラハム　キャリア選択の最大の理由はなんだろうね？

ジェリー　最近読んだある調査によると、ほとんどの人が望んでいるのは特権だそうです。言い換えれば、名誉かお金かという選択肢ではほとんどが名誉を選んだそうです。

エイブラハム　特権を望む人たちは、自分の「ナビゲーションシステム」の代わりに他人に認められることを指標に選んでいる。そういう生き方はあんまり楽しくないだろうね。なぜなら、あなたが喜ばせようとする他人は、そう長くあなたに関心を注いではいないからだ。その調査は確かに当たっているだろう。ほとんどの人は自分がどう感じるかよりも他人にどう思われるかを気にかけている。だが、それでは一貫した指標にはならない。

人はときどき、自分の幸せをなによりも大切に考えるのは自己中心的で、周りの人に対して冷たくて不公平なのではないかと心配する。だが、それはまったく逆だということをわたしたちは知っている。**あなたがたが「源（ソース）」と調和することを大切にしていれば（調和しているかどうかは、そのときの気分でわかる）、そして「源（ソース）」とのつながりを維持しようと心がけていれば、あなたの関心の対象となる人は誰でもあなたのまなざしから恩恵を受ける。あなた自身が「幸福の流れ」とつながっていなければ、誰も高めることはできない。**

他人の関心の的になって高く評価されれば、確かにとても気分がいいだろう。そのとき、その人たちはわたしたちが説明したとおりのことをしている。あなたを高く評価することで自分の「源（ソース）」とつながり、それをあなたに注いでいるのだ。だがいつも「源（ソース）」と調和しつつ自分に関心を向け、「幸福の流れ」を注いでくれと他人に望むのは、現実的ではない。他人の「源（ソース）」とのつながりは、あなたにはコントロールできないし、いつも他人の関心の的でいることもできないから。だが、自分の「源（ソース）とのつながり」はいくらでもコントロールできるし、他人のことは放っておいて、自分のつながりを維持することを最大の目的にしていれば、他人を喜ばせようとする気分から解放され（いつも他人を喜ばせ続けることはできない）、いつも「つながり」を維持して幸せな気分でいられるだろう。

おもしろいことに、自分の気分を大切にしている人——いつも明るくていい気分でいる人、「源（ソース）」とつながっていて、関心の対象にいつも前向きで明るい思考を向けている人——は、ほかの人にも魅力的だ（引き寄せられる）と思われるし、高く評価され認められることが多い。

他人の承認を必要とする、あるいは承認を得られていない場所からは、他人の承認を獲得することはできない。見晴らしのいいオフィスや専用の駐車場、立派な肩書きなどは、「本当の自分」と調和していないことから生じる空虚感を満たしてはくれない。その調和が実現できたときには、そのような特権はたいして重要だと思えなくなる——おもしろいことに、そうなると逆に特権が引き寄せられてくる。

サービスで空虚さを満たせるか?

ジェリー　わたしは20年間エンターテインメント業界でさまざまな仕事をして、とても楽しく過ごしました。仕事の時間は短いし、いろいろと新しい経験があり、冒険や挑戦もしてきました。それでもときどき、自分の人生は砂の上を歩いているようなもので、振り返ってもなんの跡も残っていないと虚しく感じることがありましたね。言い換えると、観客に一時的な楽しみを与えるだけで、永続的な価値があるものは何も残していないと感じたのです。

　他人を高めたいという気分は、人間にはもともとあるものなんでしょうか？　それはわたしたちのなかの別のレベルから来るのか、それともこの物質世界の環境に生まれ出たあと、周りの人の影響でそのような目的意識を持つようになるのでしょうか？

エイブラハム　あなたがたは価値ある存在になりたい、高めたいという欲求を持って生まれてくる。そして自分には価値があることも知っている。今あなたが言ったような虚しさのほとんどは、他人に永続的な価値があるものを提供できないからではなくて、あなたの思考が調和から外れているために生じる。つまりこういうことだ。あなたが「本当の自分」（「内なる存在」「源（ソース）」）と調和していれば、出会う人を高めずにはいないし、調和していない人たちはあまり目に入らない。「引き寄せの法則」が働くから、**あなたが満たされているときには、満たされない人たちは周りにいなくなる。それにあなたが満たされないでいれば、満たされた人は周りにいなくなる。**

要するに調和の乱れを時間やエネルギーや行動で相殺することはできない。その違いはどんなことを考えても埋められない。あなたが周りの人にとって価値があるかどうかは、たった一つのことで左右される。あなたが「源（ソース）」と調和しているかどうかだ。そしてあなたが他人に与えるべきものはたった一つ、調和しているというお手本だ。人はそのお手本を見て、そうなりたいと願い、それから実現に努力するだろう。だが、あなた自身はその人たちに調和を与えることはできないのだ。

あなたが観客に与えた楽しみは、実はあなたが当時思っていたよりもはるかに大きな贈り物だった。あなたは悩みを忘れさせた。観客は問題から関心をそらし、多くの場合一時的にでも「源（ソース）」とつながることができた。だがその人たち一人ひとりについて、あなたが唯一の関心の的となることで明るくていい気分を持続させようとしても、それはできない。**自分が抱く思考や関心の的として何を選ぶかは、それぞれの人の責任だからだ。**

あなたがたはみんな、自分が喜ばしい創造者としてここへ来たこと、常に満たされる方向へと呼ばれていることを心の底では理解している。だが、そのために成し遂げるべき必要項目はそう多くはない。あなたがたは物質世界の環境に触発されて終わりのない拡大や願望を抱き、自分のなかの「ソースエネルギー」と調和してその願望を実現しようとして、この世界へやって来た。言い換えれば、あなたがたはこの世界に参加することで願望が生まれること、願望が生まれたら、実現が期待できるまでそこに思考の焦点を定めること——そうすれば願望は実現することを知っていた。

創造の方程式のなかで周囲の人が果す主な役割は、あなたの願望が生まれるきっかけとなるさまざまな多様性を提供することだ。**あなたがたは本来、他人の価値観で自分の価値を図ろうとは思っていなかった。そうではなく周囲に起こるさまざまな事柄をきっかけにして新しい考えを抱く、それがあなたがたの意図だった。他人との比較は願望の拡大のきっかけになればいいので、劣等感を感じたり自分の価値を低下させるのはまったく的外れだ。**

人生とは、仕事が終わったあとや週末、あるいは引退後にすることではない。あなたの人生は今現在にあり、あなたがどう感じているかで表されている。仕事が楽しくないとか満たされない、きついと感じるなら、それはあなたが間違った場所にいるからではなくて、あなたの視点が矛盾する思考で曇っているからだ。

途中が楽しくない旅にハッピーエンドはあり得ない。目的は決して手段を正当化しない。手段あるいは途中の道筋は、常にそれにふさわしいエンディングのエッセンス

をもたらす。

成功が他人を高めるか？

ジェリー　わたしにとってはいつも自由がいちばん大切でしたから、お金のために自由をあきらめようと思ったことはありません。自由をあきらめたくないから、お金にはたいして興味がないと言っていましたが、やがて「砂に何の足跡も残せない」気がしてきたことから、人生には楽しむ以外にもっと重要なことがあるのかもしれないと思い始めました。

それから少しして『思考は現実化する』という本と出会いました。思考を現実化してお金持ちになることには興味がないはずだったのですが、その本には強く引かれたのです。その本を読み始めたときには、初めて人生に大きな意味を見つけたと思い、全身が総毛立つような興奮を覚えました。その本には「何を望むかを決めなさい！」と書いてありました。これは実に単純な言葉のようですが、わたしはこれにそれまでとは違った不思議なパワーを感じ、生まれて初めて自分が何を望むかを意識的に決めて、それを書き記したのです。「自営業者でいたい。自分のビジネスをやりたい。会社での地位は欲しくない。一個所にとどまりたくない。人を雇いたくない――責任を負いたくない。わたしは自由が欲しい」

わたしは自分の収入をコントロールしたいと思いました。行きたいところへ行き、いたいところにいられるように、移動性を確保したいと思いました。出会う人を高められる（あるいは、せめていたところにとどまっていられる）仕事をしたい、自分と知り合った結果として誰も損をしたり小さくなったりすることがない仕事をしたいと思いました。

こういうことを話すと、人は笑いました。「ああ、ジェリー、きみは理想家だなあ。現実にはそんなことは無理だよ」と言いました。だがわたしは「いや、あるはずだ。エマーソンだって言っている。『自分が達成できない願望を持つはずがない』ってね」と言い返しました。そのとおりに信じていたのです。それに、いつかどこかできっとチャンスが巡ってくると本当に期待していました。

自分の願望を明確にしてから30日もたたないとき、出会ったある人からカリフォルニアで始められそうなビジネスを紹介され、起業しました。そのビジネスはわたしが望むすべてに答えてくれました。それから何年かでビジネスはしっかりと根づきました。そして、やっぱりわたしが書き記したすべての願望のエッセンスを満たしてくれたのです。

わたしは自由と成長と喜びを求める

ジェリー　わたしは自分にできることや、才能や能力、知性があることを書き記したのではありません。ただ「これがしたい」とだけ書いたのです。

誰でもそれができるのでしょうか？　誰でも何を望むかをはっきりさせれば、その望みを実現できるのでしょうか？

エイブラハム　そうだ。人生経験が願望のきっかけを与えたなら、その願望を細部まで満たす手段も人生経験のなかに存在する。

あなたは長い人生経験のなかから、望みをはっきりさせようと決意するところまできた。その決意に焦点を定め、それをまとめて書き記そうと決めたとき、願望に関するあなたの「信念」は強固になった。そして「願望」と「信念」がいっしょになって「期待」が生まれた。期待が生まれれば、あとはすぐに経験のなかで実現する。

あなたがしばらく抱いていた願望のなかでは、自由がいちばん大切な要素だった。だからそれまでは自由を多少でも損なう可能性があることは即座に押しのけていたが、自由への願望を脅かさずに収入をもたらす可能性があることを目にして、あなたは収入を増やしたいという願望を広げることを自分に許した。

あなたがたはみんな、自分のなかに脈打つ三つの意図を抱いて生まれてくる。「自由」「成長」「喜び」だ。自由はあなたがたのベースだ。あなたがたにもたらされるすべては、あなたがたの思考に反応して引き寄せられる。そして、あなたがたが何を考えるかは、ほかの誰にもコントロールできない。求める最大のものが「喜び」で、思考の流れを「本当の自分」と調和するほうへと穏やかに方向づけるとき、すべての抵抗は消えて、人生経験がきっかけを与えてくれた拡大あるいは成長が可能になる。

明るくて気分のいい人生を望む

エイブラハム　キャリアを選ぶとき、あるいは現在求められている仕事をするとき、仕事に喜びを感じることを最大の目的にするなら、三つの意図はすぐに簡単に調和する。なぜなら明るくいい気分でいれば、あなたという「存在」のもっと広い「見えない世界の視点」と完璧に調和するからだ。その調和は人生に触発されてあなたが望んだすべてへの拡大を可能にし、したがってあなたはすぐに満足のいく成長を遂げる。

「自由」はあなたがたの人生経験のベースだ。それはあなたがたが獲得すべきものではない。「喜び」はあなたがたの目的だ。「成長」はすべての結果だ。だが自分には価値がないと信じ、行動を通じて価値を証明しようとすると、バランスがとれなくなる。わたしたちはよく自由と成長と喜びという完璧な三組の説明をするが、物質世界の「存在」のほとんどは価値を証明しようという間違った試みに縛られているので、すぐに「成長」という考えに関心を向ける。だが、価値があるかどうかなんてまったく問題ではない。あなたがたは誰にも何も正当化する必要はない。自分の存在を正当化する必要はない。存在している、ということが十分に正当な存在理由なのだから。

楽しいキャリアを創造する

エイブラハム　「キャリア」を楽しい人生経験の創造の一つだと考えてほしい。あなたがたは物事の創造者でも、他人が創造したものを反芻する者でも、物を集める者でもない。あなたがたは創造者であり、創造の対象は楽しい人生経験だ。それがあなたがたの使命、あなたがたの探求、あなたがたがここにやってきた理由だ。

与えずに得るのは非倫理的か？

ジェリー　エイブラハム、何もお返しをしないで受け取るのは倫理的、道徳的に正しいのでしょうか？　言い換えれば、相続したお金や宝くじが当たったお金で生活したり、福祉やもらったお金で生活してもかまわないのでしょうか？

エイブラハム　その質問はやはり自分に流れてくる「よいあり方（ウェル・ビーイング）」には代償を支払う

べきで、その「よいあり方（ウェル・ビーイング）」の流れを正当化するためになんらかの行動が求められる、ということを前提にしているね。だが、そうではない。あなたがたに流れてくる**「よいあり方（ウェル・ビーイング）」を正当化することは必要でもなければ、可能でもない。ただ、その「よいあり方（ウェル・ビーイング）」と調和する必要はある。「よいあり方（ウェル・ビーイング）」の欠如にピントを合わせ続けながら、「よいあり方（ウェル・ビーイング）」を経験することはできない。**

多くの人たちは望まないことにピントを合わせ、自分のなかの「感情というナビゲーションシステム」にきちんと関心を払わず、そういう欠落の考え方を物質世界の行動で相殺しようとする。だが、エネルギーが乱れているから行動は成果を上げず、だから、ますます行動しようとがんばって、それでも事態はよくならない。

呼吸する空気のように、すべての物はいくらでも手に入る。要するにあなたがたの人生はあなたがたが「許容・可能にする」ぶんだけよくなる。

豊かさを実現するには必死で働かなければならないと信じていれば、必死で働かなければ豊かにはなれない。だが多くの場合、必死で働けば働くほど嫌な気分になり、嫌な気分になればなるほど、望むような成果は上がらない。だから多くの人たちがやる気を失い、どっちに向かっていいかわからないのも無理はない。何をどうがんばっても豊かになれないのだから。

高い評価と愛、そして「源（ソース）」との調和、それだけがいってみれば究極の「お返し」だ。

苦痛や苦闘のなかでは何もお返しはできない。ほとんど努力していないように見える人が豊かさに恵まれ、一方では一生懸命に働く人がろくに成功しないのを見て、不公平だ、不当だと多くの人は不満を言う。だが「引き寄せの法則」の正当さは一貫している。**人生経験は個人的な思考の波動パターンを正確に反映する。**あなたがたの人生ほど正当なものはない。あなたがたは考えて波動を出し、波動によって引き寄せている。だから、あなたがたは常に与えるもののエッセンスを受け取っているわけだ。

ジェリー　方程式からお金という要素を取り除くとしたら、いうならば、お金のために働くのではないとしたら、わたしたちはなんのために働くべきなのでしょう？

エイブラハム　ほとんどの人は人生の大半で何をしているかといえば、波動のアンバランスを行動で相殺しようとしている。言い換えれば、望まないことばかり考え、そのために望むことが経験のなかに簡単に流れてくるのを妨げておいて、それから思考の乱れを行動で補おうとする。まず――感情の価値に気づいて、明るくて気分のいいことにピントを合わせ――波動を整えることを心がければ、波動の調和からとても大きな利益を得られるし、はるかに少ない行動で素晴らしいことが流れてくる。

現在の行動の大半はとてつもない波動の抵抗のなかで行われている。だから、多くの人たちが人生は闘いだと信じてしまう。それに、多くの人たちがあなたのように成功と自由は両立しないと考える。だが、実際には成功と自由は同義語だ。方程式から**お金という要素を取り除く必要はない。だが、方程式のなかでは喜びの探求をいちばん大きな要素にすべきだ。そうすればあらゆる豊かさがあなたのもとへ流れてくる。**

地球へようこそ

エイブラハム　わたしたちが、物質世界での人生の最初の日にあなたがたに話してあげるとすれば、こんなふうに言っただろう。「地球へようこそ。あなたはなんにでもなれるし、なんでもできるし、なんでも手に入れられる。そしてここでのあなたの仕事は——人生のキャリアは——喜びを求めることだ。

　あなたは絶対的な自由の『宇宙』で暮らしている。あなたは完全に自由で、あなたが考えるすべての思考があなたに引き寄せられてくる。

　明るくていい気分になることを考えれば、あなたは『本当の自分』と調和するだろう。そうやって絶対的な自由を活用しなさい。**喜びを求めなさい。そうすれば想像し得るかぎりの成長のすべてが、喜びのうちに豊かにあなたのもとへ引き寄せられてくるだろう」**

　だが、今日はあなたがたの人生の最初の日ではない。ほとんどの人はこれを読むまで長い間、自分は自由ではないし、価値がないし、それなりのものを受け取る価値があることを行動を通じて証明しなければならない、と信じていた。多くの人たちは今、キャリアや仕事に喜びを見いだしていないが、辞めれば金銭的に困ってもっと嫌な思いをするからさっさと辞めることもできない、と感じている。また、現在収入を得られる仕事をしていない多くの人たちは、暮らしを支える手段や将来の安定を確保する手段がないことで嫌な思いをしている。だが、今どんな場所にいようとも、そこに肯定的な側面を見いだそうと決意すれば、唯一あなたが望むことを遠ざけているあなた自身の抵抗がなくなる。

過去に引き返して何かをやり直したり、まだ成し遂げていないことについて自分を責めたりする必要はない。要するに今という瞬間を人生経験の始まりだと見ることができたら——自分には価値がないという思いや恨みがましさなどお金にまつわることが多くて嫌な気分になる抵抗の思考をできるだけ排除すれば——今すぐに金銭的な状況は変化し始めるだろう。あなたはこう言うだけでいい。「わたしはここに、これからの人生経験の最初の日にいる。そしてこの瞬間からはなんとしてでも明るくていい気分になれる理由を探そう。**わたしは明るくていい気分になりたい。明るくていい気分になること以上に大切なことは何もない**」

いちばん大切なのは明るくていい気分

エイブラハム　仕事の環境に明るくていい気分になれないことがある場合も多いし、本当に明るくていい気分になるにはそのようなネガティブな影響から離れるしかない、と思っていることもあるだろう。だが、辞めようと考えても、それでなくても経済的に厳しいのに辞めれば収入がなくなるから、やっぱりいい気分になれない。それで逃げ場のない不幸せな気分のまま仕事を続けている。

少し距離を置いて、今のキャリアをお金と引き換えにする仕事としてではなく、楽しい経験をするための経費として考えると、自分の考えや言葉の多くが喜びを求めるという目的に合っていないことに気づくだろう。あなたが「明るくていい気分になること以上に大切なことは何もない」と言えば、自分で自分を違う思考や言葉や行動へと導くことになる。

現在の仕事やいっしょに働く同僚たちについて、意図的に肯定的な側面を見ようと努力するだけで、すぐにホッとして楽な気分になるだろう。そのホッとした気分は、波動が変化し、それとともに引き寄せの作用点が変化したことを示している。そうなれば、あとは「引き寄せの法則」で今までとは違う人たちとの出会いがあるだろうし、同じ人たちとも違う経験をするかもしれない。それは一種の内側からの創造で、決してうまくいくはずのない外側からの創造とは違う。自分は明るくていい気分になりたいのだと決めるというシンプルで力強い前提があれば、物事は劇的によくなっていくだろう。

キャリア展開を妨げるもの

ジェリー　これから初めて就職するとか転職しようとしている人たち、それに収入や成長の可能性、製品やサービスの需要などを考慮しつつ、どの方向に進出しようかと考えている人たちには、どんな助言をしますか？

エイブラハム　今まで生きてきた人生が望む経験の細部まで教えてくれるし、完璧な状況が既に出来上がってあなたを待っている。今すべきことはその完璧な状況を自分で探しに出かけることではなく、人生経験を通じて生まれたたくさんの意図を充足する場所にまっすぐ導かれるように、状況の自然な展開を「許容・可能にする」ことだ。言い換えれば、望まない人生を生きているときほど、何を望むかをはっきりと知ることができるのだ。

だから、お金が十分でなければ、もっとお金が欲しいと思う。評価してくれない雇い主のもとで働いていれば、自分の才能ややる気を誰かに評価してもらいたいと思う。

やる気になれない仕事をしていれば、もっとはっきりと成長が感じられることをしたいと思う。通勤に長時間かかれば、住まいに近いところで仕事をしたいと思う……そういうことだ。**仕事の環境に変化を求めるすべての人にわたしたちが言いたいのは、その変化は既に「波動の預託口座」であなたを待っている、ということだ。あなたの仕事は、過去と現在の経験を通して明確になった願望に自分を調和させることだ。**

こういうと奇妙に聞こえるかもしれないが、仕事の環境を改善するいちばん手っ取り早い方法は、現在の環境で明るくて気分のいいことを探すことだ。ほとんどの人はまったく反対で、環境改善の努力を正当化しようとして、逆に欠陥を指摘する。だが「引き寄せの法則」は常にあなたが関心を向けていることをさらに引き寄せるのだから、望まないことに関心が向いていれば、さらに望まないことが引き寄せられてくるだけだ。**望まないことがあるという理由でその状況から離れても、次の環境でも同じように望まないことのエッセンスが見つかるだけだろう。**

自分が望むことを考え、語りなさい。

今いるところについて、楽しいことのリストを作りなさい。

これからきっとよくなるはずのことを、ワクワクする気分で考えなさい。

嫌なことを強調するのはやめなさい。

好きなことを強調しなさい。

よくなった自分の波動に対する宇宙の反応を観察しなさい。

明るくていい気分になる理由を探す

ジェリー　それでは、現在やこれまでの状況で自分が望まないことから目をそらし、自分が望むことにピントを合わせないかぎり、相変わらず――形は変わっても――ネガティブな状況を再創造し続けるだけだ、ということですか？

エイブラハム　まったくそのとおり。ネガティブな気分をどれほど正当化しようと、未来は明るくはならない。

あなたがたのほとんどは10回か20回も幸せな一生を過ごせるくらい、望むことをたくさん考えてきたのに、ドアを閉じているから望みが現実にならない。そしてドアが閉じている理由は、あなたがたが現在に不満を言うのに忙しい、あるいは今の自分を弁護するのに忙しいからだ。明るくていい気分になる理由を探しなさい。そして喜びのなかでドアを開きなさい。ドアが開けばすぐに、あなたが「欲しい」と言ってきたすべてが流れ込んでくる。そして、あなたがたはいつまでも幸せに暮らすだろう、というのがわたしたちの期待だ。要するに、あなたがたがこの物質世界の人生経験に入ったとき本当に望んでいたのは、いつまでも幸せに暮らすことなのだから。

欲しいのか？　しなければならないのか？

ジェリー　以前、オクラホマやミズーリ、アーカンソーで次々に40エーカーの土地に住んでいたとき、わたしはいろいろなことをしてお金を稼いでいましたが、どれも少しも楽しくない厳しい仕事でした。ベリー摘みやニワトリの飼育と販売、トマトの栽培と収穫と販売、薪の伐採と販売などで、（当時としては）相当のお金を稼ぎましたが、でも仕事は全然楽しくなかったのです。それから高校時代にニューオーリンズで暮らしていたときも、屋根葺きや板金工、エレベーター係など、やっぱり楽しくない仕事をしました。ちょっとでも楽しいと思えた最初の仕事は、ポンチャートレイン・ビーチの救助員でしたよ。

わたしも周りのほとんどの人も同じだったと思うのですが、楽しみとお金を稼ぐことが両立するとは思いつかなかったんです。そういう楽しくない厳しい労働をしている間は、仕事が終わってから楽しいことをしていました。ほかの若者と夜の公園でギターを弾いたり、教会やニューオーリンズ・オペラの合唱団で歌ったりしました。カブ・スカウトのリーダーやアクロバット、体育やダンスのボランティア指導員もしました。いろんな素晴らしい楽しいことをしましたが、そっちでは全然お金は稼げませんでした。

ところが、大人になってからは、楽しくない仕事を長く続けたことは一度もありません。自営業者になり、ただでしていた楽しいことをそのまま続けました。そうしたら楽しいことの見返りとしてお金が入ってくるようになったんです。

音楽や歌やダンスやアクロバットで訓練を受けたことも、プロになろうと思ったこともありませんでした。でも、板金工組合がストに入って仕事がなくなったとき、YMCAのジムで会った人に空中曲芸師としてキューバの「サントス・アルティガス・大サーカス」に入らないかと誘われたんです。そのため、父が望んでいた屋根葺きや板金という「安定した」職業には進みませんでした（給料はよかったし、訓練を受けていて腕もよかったけれど、でも大嫌いな仕事でした）。でも、望んでいなかった組合のストの結果として、わたしはあっさりと本当に楽しくて冒険的な仕事ができる人生に転換できたんです。キューバのサーカスでのアクロバットが始まりで、それから20年間はショービジネスの世界でいろいろなことをしてきました。

エイブラハム　あなたの経歴はわたしたちがここで話していることをはっきりと裏づけている。若いころに楽しくない厳しい仕事をしていたおかげで、自分が何を望まないかがはっきりしただけでなく、何を望むかもはっきりした。そうだろう？　そして10代ではまだ楽しくない仕事をしていても、かなりの時間を——実は自由な時間のすべてを――本当に好きなことをして過ごした。そこで、楽しい創造の方程式の二つの部分が埋まったわけだ。厳しい仕事のおかげで何を望むかがわかった。そして、音楽や体操や自分が好きなことをしているときにはいつも「許容・可能にする」状態だった。そこで「宇宙」は、あなたが望む自由と成長と喜びが得られる最も抵抗の少ない道を開いてくれたんだよ。

若いころに厳しい仕事をしていてちっとも楽しくなかったから、あなたはおかしなというか、奇妙なというか、とにかく人とまったく違う少数者の仲間入りをして、至福を求め続けることを自分に許した。そのことがさまざまな願望の実現へとつながった。

ほとんどの人は、自分が望むことと、しなければならないと信じていることとのはっきりした違いを感じている。そしてほとんどの人が、お金を稼げるのは「しなければならないこと」だと考えている。だから、なかなかお金が入ってこないし、いつも足りない。

明るくていい気分になる思考という道をたどるだけの賢明さがあれば、至福の道が望むすべてへと導いてくれるだろう。人生の肯定的な側面に意図的に目を向ければ、「本当の自分」や本当に望むことと波動が調和する。波動が調和すれば、「宇宙」がきっと願いを実現する有効な手段を与えてくれる。

楽しみがお金を引き寄せたら

ジェリー　例えばエスターとわたしはあなたがたとのワークで収入を得ようとは思っていませんでした。あなたがたから学ぶのがとても楽しかったし、学んだことを応用して素晴らしい結果が現れるのにワクワクしていたのですが、でも、あなたがたとの交流をビジネスにしようなんて思ってもいませんでした。ただただ楽しくて、ためになる経験だったのです(今でも楽しいことに変わりはありません)。ところが今では、これが世界規模のビジネスへと劇的な拡大を遂げているんです。

エイブラハム　それでは、あなたがたの人生経験が拡大し、同時に思考や願望も拡大したというのだね？　そして初めはどんなふうに展開するか、細かいところまではわからなかったけれど……楽しかったし、明るくていい気分でいたので、それがわたしたちに会う前、この仕事を始める前から抱き続けていた願望と目標実現への力強い道になった、ということだね？

ジェリー　そうなんです。もともとあなたがたと交流したのは、ほかの人が金銭的に成功できるように手助けするための、もっと効率的な道を学びたかったからでした。

それに自然な「宇宙の法則」と調和した生き方も学びたいと思いました。

自由を感じられる仕事

ジェリー　そんなわけで、わたしの今までのキャリアとよべるものの大半は、お金を稼ぐ手段として始まったのではありませんでした。たいていは楽しいからしたことで、それがやがて収入につながったんです。

エイブラハム　あなたは長年楽しんでいた。実はそれが本当の成功の秘密（シークレット）なんだよ。若いころに、明るくていい気分になることが自分にはいちばん大切だと決めたから、その意図を実現する興味深いことをいろいろ発見できたんだ。当時は、「**すべての成功の秘密（シークレット）はいつも自分を幸せにすること**」だとは気づいていなかったんだろうが。

あなたがたの多くは、自分の幸福を求めるのは自己中心的で不適切だ、本当の目標は努力や責任や闘いや犠牲を伴うものだ、と教えられてきた。だが、努力して責任を持って人を高められて、しかも幸せでいることはできる。そこを理解してほしい。それどころか、本当の幸せとつながる道を見つけなければ、ほかの目標も真の価値の裏づけがない虚しいうつろな言葉にすぎないだろう。「本当の自分」とつながった力強い自分になってはじめて、人を高めることもできるのだ。

人はよく「仕事をしたくない」と言うが、それは「お金を稼ぐために嫌なことをしなければならないところへは行きたくない」という意味だ。わたしたちがなぜかと聞くと、その人たちは「自由でいたいから」と答える。だが、あなたがたが求めているのは行動からの自由ではない。楽しい行動もあるからだ。それに、あなたがたが求めているのはお金からの自由でもない。お金は自由と同義語だから。あなたがたはネガティブなこと、抵抗、「本当の自分」になれないこと、もともと自分のものである豊かさが否定されていること、そういうことからの自由を求めている。あなたがたは欠乏と満たされないことからの自由を求めているのだ。

肯定的な側面を探す

エイブラハム　ネガティブな気分になるときは、必ず「感情というナビゲーションシステム」があなたは今何かのネガティブな側面を見ているし、それによって自分が望むものを阻んでいる、と知らせている。

何に関心を向けているときでも、意図的に肯定的な側面を見ようと決めていれば、波動の変化に「宇宙」が応えて、長い間、望んでいたものへの道を開いてくれる。そうなれば、たちまち抵抗のパターンが消えた証拠を目にするだろう。

仕事から仕事へ、職業から職業へ、会社から会社へと次々に変わっても、前と同じことに出会うだけ、という人がよくいる。そうなる理由は、どこへ行くにも自分自身を伴っているからだ。新しい場所に行っても、転職の説明をしようとして前のどこが嫌だったかを語り続ければ、以前と同じ抵抗の波動がつきまとい、望むことの実現はじゃまされ続ける。

仕事の環境をよくする最善の方法は、感謝という思考の波動パターンが支配的になるまで、今の場所のいちばんいいところにピントを合わせることだ。そうやって波動が変われば、新しいもっといい条件や環境が経験のなかに現れるのを「許容・可能にする」ことができる。

わたしたちの勧めに従って今の場所で明るくていい気分になることに目を向けたら、望まない場所に長く居続けるだけではないか、と心配する人がいる。だが、真実は逆だ。感謝という場所にいれば、自分で自分に押しつけていた限界(すべての限界は自分で自分に押しつけている)がなくなり、自分を解放して素晴らしいものを受け取れるようになる。

ジェリー　エイブラハム、創造という方程式のなかで、「感謝」というのはどんな役割を果たしているのですか？　それから、感謝でもappreciation(高く評価すること)とgratitude(喜びを表すこと)は同じですか？　わたしはナポレオン・ヒル著『思考は現実化する』を読んで何を望むかを決め、それが実現するまでそこに焦点を定める（考える）ということを学びました。言い換えると、目標と目標実現までの予定表（タイムテーブル）を設定したんです。でもあなたがたと会ってからは、わたしの人生に起こった最も素晴らしいことの大半は、わたしが具体的に望んだことではなかった（それもたくさん実現しましたが）と気づいたんです。実現したのは、わたしがとても高く評価したことのエッセンスでした。

例えば、わたしはエスターと結婚するずっと前から彼女を知っていました。そして、そのころは彼女を伴侶に望んだことはなかったけれど、でも彼女のいろいろな面をとても高く評価していました。それから彼女（と彼女の素晴らしい側面のすべて）が完全にわたしの人生に入ってきました。そのおかげで、わたしの人生がどれほど楽しく素晴らしい変化をしたかはご存じのとおりです。

それにわたしは「セス」の本のシリーズを何度も読みましたが、自分の人生にも「セス」がいればいいとは思っていませんでした。しかし「セス」という名の「見えない世界の存在」の教えと、その教えを可能にしたジェーン・ロバーツ、ロバート・バッツをとても高く評価していました。そうしたら「セス」自身ではないが、わたしたちが高く評価していたジェーンやロバート、「セス」など「見えない世界」の現象のエッセンスのすべてをもたらしてくれるあなたがたが現れたわけです。

40年以上前にサンフランシスコの近くで、宝石細工の通信販売という非常にシンプルで原始的と言いたいような商売を自宅でしている家族に会ったことがあります。自分でそういうビジネスをしたいと言ったことは一度もありませんが、わたしはその家族を高く評価したので、大勢の人に彼らの話をしました。そしてある日（約20年後に）郵便局で「エイブラハムの教え」の記録の注文を受け取っていたとき、自分があれほど高く評価していた通信販売ビジネスのエッセンスを経験していると気づいたんです。今ではこの教えを広めるというビジネスの側面のおかげで、何百万人もの人々がポジティブな影響を受けています！

そういう例はたくさんありますが、もう一つだけお話ししましょう。エスターとわたしがテキサス州サン・アントニオに移ったときに見つけた貸家は、菜園を作り、メンドリを育て、ヤギの乳を搾り、井戸から水を汲むという楽しみがありました。わたしたちはよくその家の前の道路を渡って小さな滑走路を横切り、大きなヒマラヤスギやカシの木が生えている森に散歩に出かけました。そこは真夏でもシカがつけた道をたどって、うっそうとした木々のトンネルをくぐって散歩ができる素晴らしい場所でした。

ある日、シカがつけた道をたどって行くと、カシの木に隠れた小さな「牧場」に出ました。そこは実に美しいところでした！　草や花や全体的な雰囲気は「魅惑的」としか言いようがありません。エスターとわたしはその林のなかの気分のいい場所を愛して、何度も出かけました。この古びた自然のものらしい空き地がどんなふうにできたのか、誰がここを見つけて楽しんできたのか、といろいろと想像をめぐらしました。どうしてここにいるとこんなに楽しいのだろうと思いました——わたしたちはそこをとても高く評価していたのです！　その土地が欲しいとは一度も口にしませんでした。ただ純粋に高く評価していたのです。

それから5、6年して、わたしたちがオフィスビルを建てる場所を探していると聞いたと、知らない人から連絡がありました。そして、彼が売りたいという7エーカーには、あの隠れた牧場が含まれていたのです。今まさにその美しい魅惑の場所にわたしたちのオフィスがあります。その7エーカーはさらに20エーカーになり……それからある日、わたしは隣接地20エーカーの美しいカシの森を高く評価し——この楽しいストーリーをかいつまんで言えば——あの小さな牧場は今では州間道路10号線につながる40エーカーの最高の土地に発展し……そこには飛行機の格納庫、ヘリコプターの発着場、厩舎（きゅうしゃ）（わたしたちは飛行機もウマも持っていませんが）まで備わっているというわけです。すべては森のなかのあの小さな牧場を高く評価したことから始まったのです。

エイブラハム、高く評価するという気分について、わたしの見方をどう思われますか？

エイブラハム　真実の愛の波動、愛しているという気分、ときに誰かを見てお互いが一つの流れになるように感じる気分。無垢の子どもを見てその子どもの美しさとパワーを感じるときの気分。「愛」と「高い評価」は同じ波動なのだよ。

高く評価するというのは「本当の自分」と調和する波動だ。抵抗がないこと。疑いや不安がないこと。自己否定や他人への憎悪がないこと。高く評価するというのは嫌な気分がいっさいなくて、明るくていい気分になるすべてがそろっていることだ。望むものに焦点を定めたとき――どんな人生を望むかを語るとき――あなたは高い評価という領域にどんどん近づいていくし、そこに到達すれば、あなたがいいと思うすべてに非常に力強く引き寄せられていく。

それでは逆に「高い評価」と「喜びを表すこと」の違いを話そうか。多くの人たちはこの二つは入れ替え可能だと思っている。だが、わたしたちはこの二つに同じ波動のエッセンスを感じない。なぜなら、あなたがたは克服した闘いを見て喜びを感じることが多いからだ。言い換えれば、もう闘わなくていいので幸せだが、まだ「闘い」の波動が少し残っているのだ。これは、インスピレーションと動機の違いに似ている。インスピレーションは「本当の自分」に呼ばれることだが、「動機」は自分をどこかへ行かせようとすることで、この二つはやはり違っている。

「高い評価」は感情に同調し、感情に接続し、感情を引き起こす。高い評価は「成長進化した自分」との波動の調和だ。高く評価しているという状態は、「わたしである全体とシンクロしているわたし」という状態だ。

「高く評価」するという状態は、何かを「源（ソース）」の目で見ている状態だ。その状態でいるとき、ほかの人たちなら批判したり心配したりすることがたくさんある混雑した通りを歩いていても、あなたはそういうものと触れ合わなくて済む。高い評価というあなたの波動が違う波動のものを摘み取ってくれるからだ。

高く評価するという状態は、「神性」の状態だ。高く評価するという状態は、「本当の自分」でいる状態だ。高く評価するという状態は、生まれたときのあなた、そして死ぬときのあなたで、わたしたちがあなたがたの立場だったら、常に求め続ける状態だ。

ジョゼフ・キャンベルは「至福」という言葉を使ったが、それは「自分の至福に従いなさい」ということだろう。だが、今いる場所では至福のかけらも得られないことがある。だからわたしたちは言う。「絶望」しているなら、「復讐」へと移行しなさい。そちらが下流だから。「復讐」の気分でいるなら、「憎悪」へと移行しなさい。そちらが下流だから。「憎悪」しているなら、「怒り」へと移行しなさい。そちらが下流だから。「怒っている」なら、「いら立ち」へと移行しなさい。そちらが下流だから。「いら立っている」なら、「希望」へと移行しなさい。そちらが下流だから。そして「希望」

を持っているなら、あなたは「高い評価」という領域にいる。

「希望」の波動に入ったら、明るくていい気分になることのリストを作ってノートを埋めなさい。肯定的な側面のリストを作りなさい。愛することのリストを作りなさい。レストランへ行って好きな食べ物を探しなさい。決して何かに不満を言わないこと。最高の気分になることだけを探しなさい。それがたった一つしかなくても、そこに関心を集中しなさい。それを「本当の自分」になる理由にしなさい。

明るくていい気分になれる明るく輝くことを活用して、それを理由に「本当の自分」に関心を向ければ、あなたは「本当の自分」と同調し、目の前で全世界が変わり始めるだろう。**他人のために世界を変えるのはあなたの仕事ではない。だが、自分のために世界を変えるのはあなたの仕事だ。高い評価という状態は、何の欠落もない「源（ソース）」と純粋につながっているということだ。**

仕事の時間というのは概念的

エイブラハム　多くの人がお金の不足にピントを合わせているが、同じように時間の不足にピントを合わせている人も多いし、たいていはこの二つの不足というテーマがネガティブにからみ合い影響し合っている。普通この二つの不足がからみ合うのは、成功するために必要なことをするだけの時間がないと感じるのが理由だ。

時間が足りないと感じる最大の理由は、あまりに多くのことを行動によって成し遂げようとするためだ。波動の調和のパワーに気づかず、調和を実現する努力をあまり、あるいはほとんどしていないと――怒りや恨みや気難しさなどに支配され、そういう感情の視点から行動によって何かを成し遂げようとすると――時間が足りないと強く感じる。

エネルギーの調和を相殺できるような行動は世界中どこを探してもないが、自分の感じ方を大切にして、まず波動のバランスを整えようとすれば、どこに行っても「宇宙」が協力してドアを開いてくれると感じるはずだ。エネルギーが調和していれば、そうでない人に比べてほんのわずかな努力で済む。調和している人の成果は、そうでない人に比べてとてつもなく大きい。

時間かお金が足りないと感じているなら、明るくて気分のいい考えにピントを合わせて、肯定的な側面をたくさん挙げたリストを作り、明るくていい気分になる理由を探し、明るくていい気分になることをたくさんするのがいちばんいい。明るくていい気分になり、肯定的な側面を見つけ、「本当の自分」と調和するのに時間をかければ、素晴らしい成果が上がるし、時間のバランスももっと上手にとれるようになる。

時間の不足はあなたの問題ではない。お金の不足はあなたの問題ではない。世界を創造する「エネルギーとのつながり」の不足が、足りない足りないと感じる気持ちの核心にある。こういう欠落、不足を満たせるのはたった一つ、「源(ソース)とのつながり」「本当の自分」との調和だけだ。

あなたがたの時間というのは概念的なもので、時計の進み方はすべての人にとって同じでも、時間の概念や自分に許容する成果には、あなたが「本当の自分」と調和しているかどうかが影響する。自分が望む人生を描くのに時間をかければ、問題に焦点を定めていたときには得られなかったパワーにアクセスできる。

努力がどれほどの成果を上げるか、人によって大きな違いがあることを見れば、成功の方程式には行動とは別の要素があるに違いないとわかるだろう。その違いは、ある人の場合は思考の調和によって「てこ」の作用が働いて成果を上げられるのに、別の人は自分の思考のせいでその「てこ」の作用が働かないからだ。

あなたが1マイル走っていて、その途中には2000のドアがあると想像してみよう。ドアのところへ来るたびに立ち止まってドアを開けなければ先に進めない。だが近づくとドアが自然に開くなら、まったくペースを落とさずに走り続けられる。あなたが世界を創造する「エネルギー」と調和していれば、立ち止まってドアを開く必要はない。「エネルギー」との調和によって、物事は自然にうまくいくから、あなたの行動は自分が達成した調和を楽しむ過程になる。

もっとがんばって働くべきか？

エイブラハム　あなたは自分が望むことに意図的に焦点を定め、思考のパワーを通じて創造するということを理解して、この「最先端」という環境にやってきた力強い創造者だ。あなたがたは行動によって創造しようという意図は持っていなかった。

行動ではなく思考を通じて創造するのだと理解し、そのやり方に慣れるまでには、時間がかかるかもしれない。だが、現在の状態ではなくて自分が望むことを考えて口にすることがどれほど大切か、いくら強調しても足りない。**思考のパワーを理解するだけでなく、その強力なツールを自分が望むほうへ意図的に向けるなら、人生の行動という部分は思考を通じて創造したことを楽しむ過程だとわかるだろう。**

波動の調和を達成すれば(いつも楽しいことを考えていれば)、そのうえで行動のインスピレーションを感じれば、あなたは両方の世界の最高を実現できる。「源(ソース)」の周波数と波動が同調していれば行動にまったく苦労を感じないし、行動のインスピレーションもわき、その結果は常に楽しいだろう。だが、波動を調和させずに行動すれば大変だし、非効率的で、そのうちへとへとになってしまう。

ほとんどの人は目前のことに対応するのに忙しく、大切なことに取り組む時間がない。また、多くの人はお金を稼ぐのに忙しくて楽しむ暇がないと言う。行動だけけに頼って創造しようとすれば、疲れ果てて創造を楽しめないことが多い。

質問　わたしの仕事は冒険的で、わたしは仕事を心から楽しんでいます。ですが、仕事にお金や収入を結び付けると、緊張してもう楽しめなくなります。両者は両立しないのでしょうか?

エイブラハム　音楽や芸術などを愛している創造的な人たちからよく聞く話だ。愛することを主たる収入源にしようと決めると、十分なお金が稼げないばかりか、それまでの喜びも衰えてしまうという。

ほとんどの人はお金に対して、どちらかというとネガティブな姿勢を持っている。ほとんどの人がお金のよさよりも、買えない物や欲しいだけのお金がない話ばかりしているからだ。それに、ほとんどの人はこうなったらいいなと思うことよりも、今経験していることを考える時間のほうが長い。だから、そのつもりでなくても、ほとんどの人はむしろお金の不足や欠乏について考えている。

そこで、何か楽しいこと――冒険や音楽や芸術――と、長い間、強い欠乏感を抱いていたこと(お金)を結び付けると、思考のバランスが強いほうに傾いてしまう。

現在の状況ではなくて、自分が望むことのビジュアライゼーションに時間をかければ、そしてもっとポジティブで明るくて気分のいいストーリーを語っていれば、そのうちに冒険のほうが支配的な波動になる。それから、冒険と収入獲得の手段を結び付ければ、完璧に混ざり合い、互いに強化し合うようになる。

自分がしたいことをして収入を得るほどいいことはない。お金は数限りない道を通ってあなたの経験へと流れ込む。流れ込むお金を制約しているのは職業の選択ではない。あなたのお金に対する姿勢がじゃまをしている。

だから、これほどたくさんのニッチ市場が生まれ続け、つい最近までは有効な市場がなかったアイデアでお金持ちになる人がいる。あなたは自分の現実の創造者であり、企業とお金の流れの市場の創造者だ。

ある活動は大変で、ある活動は容易だ、という正確な線引きはできない。自分が望むことと調和するすべては容易で流れるようであり、望むことと調和しないすべては大変で、抵抗が大きい。

苦労して闘っていると感じたときには、矛盾した思考が方程式に抵抗を呼び込んでいることを理解しなくてはいけない。抵抗は望まないことについての思考で引き起こされ、そのためにあなたは疲れてしまう。

キャリアに関する「古い」ストーリーの例

「わたしはいつもどんな仕事でも一生懸命に働いてきたが、一度も高く評価されたことがない。雇い主はいつもわたしを利用し、すべてを奪い取って、できるだけ少ない報酬で済まそうとしているようだ。わずかな報酬のためにこんなに一生懸命に働くのは嫌になった。わたしだって骨惜しみしようと思う。必死にがんばったって誰も気づいてくれないのだから無駄だ。職場の同僚の多くはわたしより知識がないし、わたしより働かないのに、わたしより高い給料をとっている。こんなのは正しくない」

キャリアに関する「新しい」ストーリーの例

「わたしはいつまでもここにいて同じ仕事をしているわけではないことを知っている。物事はいつも発展していくとわかっているのはうれしいし、自分がどこへ向かうのかと考えると楽しい。今いるところだって改善の余地はたくさんあるが、たいした問題じゃない。『わたしがいるところ』は常によいほうへと変化するからだ。今いるところで最善のことを探していれば、そういう経験がどんどん増えていく。いつでも物事がうまくいくと知っていて、その証拠を見ているのは楽しい。それに日々、新しい証拠が増えていくのだ」

いいストーリーを語るのに、正しい方法も間違った方法もない。過去についてでも、現在についてでも、将来の経験についてでもかまわない。重要な基準は一つ、もっと明るい気分になる、もっといいストーリーを語ろうという意志をはっきりと持つことだ。一日中、明るくて気分のいいショートストーリーをたくさん語っていれば、引き寄せの作用点が変化する。あなたが語るストーリーが人生のベースであることを忘れないように。だから自分が望む人生のストーリーを語りなさい。

新しいストーリーを語ろう

わたしの古いストーリーの内容は……、

うまくいかないこと
自分が望むのとは、あるいはこうあるべきだというのとは違うこと
わたしを出し抜く人たち
わたしをだます人たち
お金が足りないこと
時間が足りないこと
いつもこんなふうだということ

今までの人生のこと
最近のこと
世の中で目に入る不当なこと
理解していない人たち
努力しない人たち
能力があるのに、出し惜しみをする人たち
自分の容貌への不満
健康不安
他人を利用する人たち
わたしを支配したがる人たち

だった。わたしの新しいストーリーの内容は……、

現在関心を向けていることとの肯定的な側面
本当に望むこと
物事がとてもうまくいっていること
「引き寄せの法則」がすべてを動かしていること

豊かに流れてくる富やリソース
時間は概念的なものであり、終わりがないこと
目に入る最高のこと
楽しい記憶
人生が明らかに拡大していること
わたしの世界のめざましい、おもしろい、素晴らしい側面
わたしを囲む信じられないほどの多様性
やる気があって、効率的なたくさんの人たち
自分の思考のパワー
わたしの身体の肯定的な側面
物質世界の身体の安定したベース
わたしたちみんなが、どんなにうまく自分の現実を創り出しているか
わたしの絶対的な自由と、その喜ばしい認識

である。

あなたがたの人生経験を作り上げているすべての要素は、強力な「引き寄せの法則」があなたの思考とあなたが語る人生のストーリーに反応して引き寄せられてくる。あ

なたのお金や経済的な資産、体調や爽快感、身体の柔軟性、大きさ、形、仕事の環境、どう待遇されるか、仕事の満足、報酬――それだけでなく幸福な人生経験そのもの――は、すべてあなたが語るストーリーによって引き起こされている。あなたが毎日自分の人生について語るストーリーの中身を見直してもっとよくしようと断固として決意するなら、あなたの人生は必ず常に向上していくストーリーになると、わたしたちははっきりと約束する。強力な「引き寄せの法則」によって、そうなるしかないからだ。

エイブラハムライブ！

——

「引き寄せの法則」ワークショップ

（このワークショップは２００７年9月29日土曜日にマサチューセッツ州ボストンで録音された）

波動はマッチしていますか？

おはようございます。皆さんとお会いできてとてもうれしいです。共同創造のために集まるのは素晴らしい、そうお思いになりませんか？　皆さんはご自分が何を望んでいるか、ご存じですか？　本当に？　皆さん、ある程度はそう信じていると思います。言い換えれば、自分が望まないことがわかれば自分が望むことがわかる、そうじゃありませんか？

それでは別の言い方をしましょう。皆さんは自分の願望と波動がマッチしていると思いますか？　本当に？　それでは願望と波動がマッチしているかどうか、どうすればわかるか、お教えしましょう。体験するからです。願望と波動がマッチしているとき、皆さんはそれを体験します。人生のなかで皆さんが好きになったドルに波動がマッチしているとき、皆さんはドルを持ち、ドルを使い、ドルにアクセスします。ドルは皆さんの経験に流れ込んでは出ていき、流れ込んでは出ていき、流れ込んでは出ていきます。人生で希望する人間関係と波動がマッチしたとき、皆さんはその人間関係を体験します。

だから、これは引っかけの質問です（気を悪くしないでください）。なぜなら、物質世界の友人たちの多くは、皆さんは何を望んでいるか知っていますか、とわたしたちが尋ねると、まだ実現していないほうのことだと思うからです。言い換えれば、まだ望んでいることとです。

ある日、こんなことを言った人がいます。わたしたちは彼女にポジティブなことにピントを合わせなさいと勧め、彼女が考えそうなポジティブなことを列挙したのです。「だってエイブラハム、わたしはそういうことは望んでいません。もう実現していますから」彼女にとっては、「わたしが望むこととはまだ実現していないこと」だったのです。

わかってほしいのですが、まだ実りに至っていないという場所から望むことを考えていると（まだ経験していない、まだ欠落している、そしてもっと重要なことに、どうしてこんなに長くかかるんだろうといら立ったり、実現している人もいるのにどうして自分はダメなんだろうと失望したりして、ネガティブな気分を抱いている場所から考えていると）それが定期的に放出している波動（恒常的な波動の放出、つまり信念）の強力な指標になり、皆さんは宙ぶらりんになってしまって、望みの実現との距離はちっとも縮まりません。言い換えれば、だから多くの人たちが長いこと同じ状態にいるのです。

こんな人たちをご存じではありませんか？　人間関係がうまくいかなくて、会うたびに不満を言っている人です。そのうち当人も我慢できなくなって決意し、人間関係は終わる……その次に会うと、新しい人間関係ができたと聞かされます。ところが、その次にはまた人間関係に不満を言っている、そんな人たちです。

もし、皆さんにある種の記憶力があって、その人たちに関心を払っていたら（あるいは、その人たちというのは皆さん自身かもしれませんね）、顔と場所は違っても、経験にあまり変化がないことに気づくでしょう。それは同じ人と何度も何度も結婚し続けるようなものです（おかしいでしょう）。その人たちは同じ人と何度も何度もデートし続ける。同じ隣人がいる同じ地域で、同じ問題のある同じ家に何度も引っ越すんです。

ジェリーはエスターに言いました。「きみはまだ床をいじっているんだね」何度やっても床に問題が起こるのです。

エスターは言います。「床は大切なのよ」

ジェリーが言います。「確かにそうだね。きみが床のことを考えないでいたら、とっ

くに完璧な床になっていただろうよ」(おかしいでしょう)

皆さんにはそんなふうな思考パターンがあり、「引き寄せの法則」によって同じパターンの信念が維持されるのです(信念とは抱き続けている思考ですから)。人生に触れた皆さんは、人生経験の早いうちにある思考パターンを作り始めます。ときには人に注意深く教えこまれるでしょう。ときには自分で観察し、それについて語り、記憶し——それからまた同じようなことを引き寄せ……また語り、記憶し——そしてまた引き寄せて、パターンが出来上がるかもしれません。

言い換えれば、この人生はとても興味深い、そうではありませんか? 何かについて長く語り続けていると、そのうちきっとそれが人生経験のなかで複製され始めます。そうやって皆さんが「真実」とよぶパターンが出来上がっていきます。皆さんは言うでしょう。「最初は確信がなかったけれど、しばらく考えてみた。そうやって注意してみると、どこを見てもその証拠があることがわかった。だから今は信じている。そして信じたら、経験のなかに現れた」

それでわたしたちは、素晴らしいですねと言います。そうじゃありませんか? それが望むことなら、ですが。しかし、皆さんが望まないことについての思考パターンを繰り返しているとしたら、どうでしょうね。皆さんの環境では、皆さんはそれがとても得意ですから。大衆意識について、こんなふうに言われることがありますね。「歴史を知って話題にしなければ（ドラムを叩いて宣伝しなければ）、わたしたちは必ずや歴史を繰り返すだろう」

しかしわたしたちは、それは逆だと言います。何かについてドラムを叩いて宣伝すればするほど、そのエッセンスが皆さんの波動のなかで活性化されます。そして波動が活性化されればされるほど、「引き寄せの法則」によって似たことが引き寄せられてくるのです。そして、似たことが引き寄せられてくればくるほど、皆さんはそれを頻繁に目にします。頻繁に目にすればするほど、皆さんはそのことを語ります。語れば語るほど、目にすればするほど、皆さんはますますドラムを叩いて、それと同じ波動を出すことになるのです。

そしてその波動を出せば出すほど、「引き寄せの法則」が似たものを引き寄せます。「引き寄せの法則」で似たものが引き寄せられれば引き寄せられるほど、皆さんはそれを体験し、それについて語り、さらにドラムを叩いて、波動を出します。波動を出せば出すほど、「引き寄せの法則」で似たものが引き寄せられてきます。似たものが引き寄せられてくればくるほど、皆さんはそれを目にします。それを目にすればするほど、それについて語ります。それについて語れば語るほど、また波動を出します。波動を出せば出すほど、「引き寄せの法則」で似たものが引き寄せられます。似たものが引き寄せられてくればくるほど……これ、いつまでも終わりませんね（おかしいでしょう）。皆さんの人生経験は教えています。皆さんが同じストーリーを語っていれば必ず、同じ状況を経験し続ける、と。

だから、このセッションを開いているのです。わたしたちはこれを「違うストーリーを語る術」とよんでいます。皆さんが人生を生きるなかでますます望むようになったストーリーを語る術です。ただし、このストーリーは皆さんの言葉で、皆さんの観察と皆さんの期待と皆さんの波動で語らなくてはいけません。そうすれば、「引き寄せの法則」が皆さんの意図的な思考に反応し、皆さんはただ観察することだけではなくて、望むことを獲得できるのです。

皆さんは波動の「ソースエネルギー」

おもしろいことに、人間世界の友人たちは、何かを語り続けるのはそれが「真実」だからだと言います。そこでわたしたちは言います。それは本当にいい口実だ、なぜなら真実はたくさんあるからね、と。真実というのは、誰かが関心を向け、波動を出し、それと似たものを「引き寄せの法則」が引き寄せてくる、というだけのことです。「引き寄せの法則」が引き寄せてくるから、皆さんはそれを目にします。そして目にするから、波動を出し――ああ、また同じストーリーになりましたね（おかしいでしょう）。ある人の経験で何かが真実になる唯一の理由は、なんらかの方法でそれについての波動を出し始めたからです。

皆さんは、自分で知っていてもいなくても、自分の人生経験の創造者です。それなら、意図的に創造したほうがよろしい。波動を止めることはできません。いつだって波動を放出し、「引き寄せの法則」が常に皆さんの波動に反応しているのです。だから目的を持って波動を出したほうがいいのではありませんか。

多くの人たちはこんなふうに言います。「わたしはそうしている。目的を持って波動を出している。なぜなら、自分が望まないことをはっきりと認識しているから、その望まないことが絶対に経験に入ってこないようにしたい。だから、望まないことがいっさい経験のなかに入ってこないように、しっかりと望まないことのリストを作っている。とても長いリストだ。一生かけて望まないことを集めたんだし、それはとても得意なんだから（おかしいでしょう）。その話ならいくらでもできるよ。人生経験で繰り返してきた問題を話して、あなたを笑わせてあげよう。長年、そうやって人々を楽しませてきたんだ（おかしいでしょう）。だから座って、なぜ人生が望みどおりにならないのか、わたしの説明を聞いて楽しみなさい。このストーリーをもう一度繰り返せば（もう何千回も繰り返しているんだが）――もう一度このストーリーを繰り返せば――「引き寄せの法則」にちゃんと届いて、それと反対のことが引き寄せられてくるはずだ」

そこでわたしたちは、「引き寄せの法則」はとても公平な友人で、常にあなたの波動を複製するんですよ、と言います。思い出してほしいのですが、皆さんの波動――波動のバランス、波動の様相、引き寄せの作用点、皆さんと一致しているもの――は、いつだって皆さんがどう感じるかで、いちばんよくわかるのです。

皆さんの感じ方は波動のバランスの指標です。その理由はこうです。皆さんは物質世界の身体に宿ったソースエネルギーで、皆さんの多くはそのことを知っています。皆さんは「神」について語ってきました。「源（ソース）」について語ってきました。魂について語ってきました。「天国」「天使」について語ってきました。皆さんは自分の思考で「本当の自分の永遠性」という考えを包もうとしてきました。そして、わたしたちと知り合うよりずっと前に、この身体の前にも生命があったと信じていました（そしてこの身体のあとにも生命があることを願っています）。そこでわたしたちは、皆さんのそういう考えは本当にバカバカしいと言いたいのです（おもしろいでしょう）。

皆さんに理解してほしいのは、皆さんは「永遠の存在」だということです。皆さんは死んだり生きたりするのではありません。天使になったり、死すべき人間になったりするのではありません。あちらで「源（ソース）」といっしょになり、こちらで「源（ソース）」から離れるのではありません。**皆さんは常にソースエネルギーなのです。皆さんのほとんどは波動で、皆さんが自分として知っている物質世界の「存在」や周りの物質世界の集積は、皆さんが生きているこの素晴らしい世界に生み出した波動が解釈されたものな**

のです。

皆さんは思考の「最先端」の物質世界の身体に焦点を結んで、ここにいるのです。皆さんがここにいるのは素晴らしいことです。だが、皆さんのすべてがこの物質世界の身体にやってきているのではないことに、ぜひとも気づいてほしいのです。このすべてというのは集団としての皆さんのすべてという意味ではなく、皆さん一人ひとりのすべて、という意味です。皆さんのもっと大きな部分は安定し、「見えない世界」にいて、「純粋」で、「ポジティブ」で、「神の力」であり、「源（ソース）」「愛のエネルギー」です。それが皆さんの「本当の自分」で、その「意識」の一部がこの物質世界の身体に投影されているのです。

物質世界の身体でも「本当の自分」のすべてが今日のワークショップに参加しているのではなくて――皆さんは依然として母親、父親、姉妹、兄弟、ボウリング選手、会計士でしょう――皆さんがここに焦点を定めていても、ここには参加していない皆さんの部分がたくさんあるのと同じです。だから、言葉のもっと大きな意味で、皆さんの大きな部分は「見えない世界」に焦点を結んでおり、この物質世界の身体にいる皆さんから提供される利益を取り込んでいるのだ、ということを理解してほしいのです。

皆さんはこの身体に宿る前は「ソースエネルギー」だったというのは納得できましたか？　それから、皆さんの「ソースエネルギー」の部分は今でも「見えない世界」にいることも、おわかりになったでしょうか？　建物の壁を抜けて電気が通ってきて、皆さんはトースターの電源を入れてトーストを焼く、それと似ています。誰かが「それじゃ、どうして電気はトースターじゃないんですか」と聞いたら、わたしたちは、電気は電気、トースターはトースターと答えます。皆さんの「ソースエネルギー」の部分は「ソースエネルギー」で、物質世界の皆さんは「トースター」です。だが、どちらもいっしょに働いている。なぜなら、皆さんは物質世界の表現のなかで探求しているからです。皆さんはここ、「最先端」にいる。新しい「最先端」の結論に達し、それに対して皆さんのなかの「源(ソース)」が「わたしたちも同意する。そして波動としてそれと同じになる」と言うのです。

物事の創造について――地球の創造について、皆さんが地球上の人生と言っているものの創造について――わたしたちが知っていることを知るためには、皆さんは相当に距離を置かなければなりません。ですが、皆さんが現実とよぶもののすべては（皆さんが物質世界の身体の五感で感じ取る物質世界の物や出来事は）、どれも例外なく最初は波動だったことを知ってほしいのです。すべては最初は思考であり、次には長く考えられた思考としての波動で、やがて十分な関心が注がれて形をとり、姿を現すのです。

皆さんは自分が生きている現実に確信を持っているので、お互いに環境の多くの条件を見分けて意見を一致させます。この時空という現実について、みんなが同意できる方法で推定しているのです。皆さんは「わたしたちにはこの部屋が見える。測ればどれくらいの大きさかについても意見が一致する。広さについて知っているし、測定方法についても知っている。距離についても知っている。色についても大半は同意できる。わたしたちはとてもたくさんのことについて同意している。それは身体的な感覚を使って波動を見分けているからだ」と言うのです。

そこでわたしたちは、皆さんに発想を逆転させてほしいのです（それが簡単ではないことはわかっています。物質的環境の現実は永続的で、確固としていて、安定していて、リアルに感じられるからです）。つまり、すべては動いている波動であり、それを受け取っている皆さんによって解釈されている、ということです。

皆さんが目を使って見ているのは波動の解釈にすぎません。耳を使って聞いているのは――それだけでなく嗅いで味わって指先で触れているのは――波動の解釈です。だが長い間そうしてきたし、多くの人と同意しているから、しっかりと立つことのできる素晴らしい土台として静止した現実があると思っている。ですが、安定した確固とした現実だと皆さんが思っているものは、実は全然静止していないことを理解してほしいのです。それは常に変化しています。皆さんが物質世界で「許容・可能にする」度合いに合わせて常に変化し、なりゆき、変容しています。

皆さんに、「源（ソース）」の目を通して見る物質世界をちらっとでもかいま見てほしいと思います。皆さんが「源（ソース）」の目で世界を見れば、自分を引き離すことができ、もう一方のほおを差し出すことができ、地球上の人生で複製したくない、繰り返したくない、子どもたちに教えたくない側面から関心をそらすことができます。そして、代わりに波動のなかに持っていたい、「引き寄せの法則」が働いてほしいと思う側面に関心を向けることができます。

皆さんは「引き寄せの法則」の反応について心配する必要はありません。法則はいつでも働いています。**「引き寄せの法則」のスイッチはいつでもオンです。**ということは、**皆さんが出している波動がなんであっても、そこに働くということです。**しかし、皆さんの大半が気づいていないのは、皆さんという「存在」には「引き寄せの法則」が働く側面が二つある、ということです。「見えない世界」の部分の皆さんがあって（わたしたちが説明している部分ですが）その部分はいつも「見えない世界」に焦点を定めています（どのくらい長い間そうしているのか、想像がつきますか？）。それから物質世界の皆さんがいて、その部分は物質世界の皆さんが続く限りは続きますが、それはたいした長さではありません。

そこでむこうに「引き寄せの法則」が働く部分があり、こちらにも「引き寄せの法則」が働く部分がある。わたしたちが皆さんに気づいてほしいのは、その「見えない世界」の大きな部分のほうが皆さんのなかで支配的な部分だということです。「引き寄せの法則」は生まれる前の皆さんに働いているばかりでなく、（よく聞いてください）結果としてこの物質世界の身体に宿った「本当の皆さん」にも働いているからです。この人生経験は皆さんのその大きな部分が拡大し、なりゆくために起こっているのだ、ということがおわかりになりますか？　そもそも、そのために皆さんはここへやって来たのだ、ということがおわかりになるでしょうか？

人間たちは、こんなふうにとんでもなく非合理的なストーリーを語ります。「『源（ソース）』は完璧で、わたしはどうすれば完璧になれるかを知るためにここへ送られたのだ。『源（ソース）』はわたしに学ばせるために『法則』を定め、わたしはそれをがんばって学んで、『源（ソース）』が達成した完璧に到達しなければならない」しかし、皆さんが語っているその「源（ソース）」は常に皆さんのなかにあることを理解してもらいたいのです。皆さんはそれから自分を引き離すことはできない。ちょこちょこ、ずれてみたりはしますが、しかし「源（ソース）」は常に皆さんのなかにあります。そして皆さんは、その瞬間の思考がどこまで「源（ソース）」の完全さを「許容・可能に」しているか——あるいはしていないか——を、そ

のときどきの気分によって知ることができるのです。

自分自身や誰かへの愛を感じていたら、「源（ソース）」と完璧に波動がマッチしています。誰か、あるいは自分への憎悪や怒りを感じたら、「源（ソース）」の波動とは全然違うところにいます。そして、そのときの自分と「本当の自分」の波動がどこまで離れているかは、ネガティブな感情によってわかります。ネガティブな感情は、どの程度感じるにしても、常にそれと同じ程度に「本当の自分」の完全さからずれていることを意味しているからです。

それから、そのとき感じている感情（どの瞬間でも、それが愛のように感じられても、絶望のように感じられても）――皆さんが感じている感情はどの瞬間でも常に、人生がそうなるように仕向けている自分と、自分が向ける関心を通して自分に認めている自分との波動の関係を示している、ということを理解してほしいのです。

一瞬一瞬、節目節目の「ナビゲーションシステム」の導きについて語ってください！　いつでも「本当の自分」、本当に望むこと、本当に行きたいと思う場所を語ってください。言い換えればそれが、読み取ることを覚えればいつでも使える高度な「ナビゲーションシステム」なのです。

皆さんの「ナビゲーションシステム」は車のナビゲーションシステムと同じです。車のナビゲーションシステムは皆さんがどこにいるかを知っていて、望む目的地を設定すれば、今いるところと行きたいところを結ぶルートを計算してくれます。皆さんの「ナビゲーションシステム」も同じことをしてくれます。

今、皆さんはここにいます。お金が足りないとか、人間関係が嫌だとか、自分が好きじゃない、あるいは不安でたまらないという身体状態にあるかもしれません。ここで皆さんは矛盾した経験をして、もっといい経験をしたいという願望のロケットを常に打ち出しています。今は以前よりももっとたくさんロケットを打ち出しているでしょう。自分が何を望まないかがわかれば、何を望むかももっとはっきりするからです。そして皆さんのなかの「源（ソース）」はそのロケットを飛ばすだけでなく、新しく拡大した皆さんと同じ波動になります。

そこで皆さんにお尋ねしたいのは、こういうことです。「たった今、皆さんは――考えたり話したりしていることによって――自分に追いついていますか？　人生が仕向けてくれた自分に追いついていますか？」もしそうなら、皆さんは調子が合っているし、つながっているし、活性化しています。明るく素晴らしい気分でいるでしょう。もしそうなら、皆さんは拡大バージョンの自分になることを自分に「許容・可能に」しているのです。**そのとき皆さんは世界を「源（ソース）」の目で見ています。**

ネガティブな気分でいるとしたら、それは何かに関心が向いていて、それが効いているということです。言い換えれば、それは皆さんがでっちあげたものではないということです。皆さんはそれを見ている。意図的に「本当の自分」から自分を引き離そうとしているわけではないでしょう。しかし、ネガティブな気分になるときはいつでも、そうなっているのです。皆さんは自分を「本当の自分」から引き離しています。

波動のマッチを生きる

一瞬一瞬、ご自分の「ナビゲーションシステム」をどう認識し、効果的に使うかを皆さんにわかっていただきたいと思います。この集まりで、自分がどう感じるかが大切だ、なぜならどう感じるかは「本当の自分」と調和しているかいないか、つまりこの瞬間「本当の自分」のすべての存在を許しているか、それとも「本当の自分」に抵抗しているかを示す指標だから、ということをしっかりわかって帰っていただきたいのです。

物質世界で生きている多くの「存在」は、「本当の自分」の影のようなものにすぎません。母親は子どもを怒鳴りつけます。本当は世界中でいちばんいとしい子どもなのに――人生に反射的に反応しているから自制できず、どうやって愛の波動をつなぎ止めておけばいいのかわからないのです。だから皆さんに、意図的、意識的、総合的にコントラストを活用してほしいのです。

皆さんに人生の要素を理解してもらいたいと思います。「本当の自分」であるとき、

「本当の自分」であるとはどんな感じなのかがわかるとき、そしてその気持ちに自分を同調させるとき、皆さんは「本当の自分」との波動のマッチを生きることになります。そして皆さんが同調し、つながり、活性化するとき――「存在」の核心から波動を出すとき――皆さんの影響力はとても大きくなりますから、見ている人は皆さんのみなぎる自信とパワーに驚嘆するでしょう。皆さんが「本当の自分」との波動のマッチを生きるとき、「引き寄せの法則」が節目ごとにますます発展し、人生は大きく花開く喜ばしい経験になり、力強くて喜びに満ちた機会と入り口を用意して引き寄せ、皆さんを包んでくれます。

ただし、何を望まないかに気づくことで何を望むかを知り、望む場所に到達する方法を探す、ということが大事なのではありません。皆さんが望んでいるいくつかの――十数個あるいは数百、数千かもしれませんが――事柄について話しているのではないのです。このワークショップでそういう望みを実現しようというのではありません。そうではなくて、そもそもどうしてここに、この身体に宿ったのかをきちんと理解してほしいのです。

皆さんは「何事かをやり遂げる」ためにここに来たのではありません。自分が望むことを明確にし、願望が実現しないより実現したほうがいいからその実現を経験するために来たわけでもない。皆さんは自分が望むことを明確にし、その方向に向かって進むことによって、一貫した「永遠の生命の流れ」を楽しむために来たのです。皆さんは「本当の自分」の「流れ」に逆らうのではなく、流れに乗ることを望んでいるのです。

皆さんは既に力強い存在になっている。その存在に「引き寄せの法則」が働いて「流れ」が生まれる。その流れはいつも、人生に仕向けられて皆さんがなりゆく新たな自分に向かって流れています。その流れに乗っていれば、皆さんは明るくて前向きな気分になります。だが、流れに逆らって上流に向かっていると、それを身体で感じます。身体の細胞の隅々にまで感じるのです。それは皆さんが「本当の自分」になることを自分に許していないからです。そうやって「エネルギー」が衝突すれば、皆さんは引き裂かれます。惨めな気分になります。身体も不調になります。人生だってある程度まで破壊されます。「本当の自分」になることが妨げられます。

さて、皆さんが「くたばれば」、もちろんそういうことは全部終わります。皆さんが「くたばるとき」(この失敬な言葉がわたしたちは好きなのです——本当は「死」なんてものはないから、皆さんが考える「死」というものをできるだけあっさりと扱いたいからです)——あなたがたが「死」とよぶ(くたばるという)体験をするとき——皆さんは身体について心配し続けてきたことに合わせてドラムを叩くのをやめます。そして「本当の自分」の波動が支配的になります。

一瞬のうちに、皆さんは生きてきたすべてによって仕向けられてそうなっている「存在」になります。だがわたしたちが言いたいのは、くたばらなくても、死ななくても、そうなれる、ということです。この物質世界の身体にとどまったまま——一瞬一瞬、一日一日——自分がどう感じるかを大切にすることによって、自分という「存在」の核心の波動に自分を合わせることができます。そうやって「本当の自分」に同調すれば、素晴らしい人生とはどんな感じのものか、どんな感じであるはずなのかが理解できるでしょう。人生は明るくて気分のいいものであるはずなのです。

ジェリーとエスターは昨年夏、素晴らしい体験をしました。急流のいかだ下りに出かけたのです。川にいかだを下ろすとき（ほかにも大勢いました。同行者六人のほかにも、高校のレスリング選手が何十人か、いかだに乗っていました。すさまじい水しぶきの一日でした。高校生が始めたのではありません。始めたのはジェリーとエスターの友人たちですが、いったん始まると、もうとてつもなくびしょ濡れの一日になりました）、誰一人として、いかだを上流に向け、流れに逆らって漕ごうなどと思いませんでした。その急流に逆らったって流されてしまうことは一目瞭然だったのです。

そして、ガイドが言った最初の言葉はこうでした。「皆さん、ここはディズニーランドじゃないし、スイッチを切って流れを止めることもできませんからね」ガイドは川の威力を理解してほしかったのです。わたしたちが言いたいのも、それと同じことです。この川のパワーを理解し、川のスイッチを切るわけにはいかないことを理解してほしいのです。皆さんの川は、皆さんがこの身体に宿るはるか前に流れ始めました。そして、皆さんがこの身体に宿って以来、流れはますます速くなっています。皆さんが自分は何を望まないかを知るたびに、望むことについての願望のロケットを打ち出すので、流れは少しずつ速くなります。

川の流れがどんどん速くなっていくのは、皆さんが「存在」のどこかのレベルで人生はこうあってほしいと願うたびに、「見えない世界」の部分がその考えを完全に取り込み、はっきりと把握して、それと同じ波動を出すからです。すると、その増え始めた波動に強力な「引き寄せの法則」が働くので、皆さんは強力な吸引力を感じます（おわかりいただけますか？）。

その川の流れがどんなに速いか、そして流れに乗ることがどんなに大切かを理解していただきたい。自分が「なりゆく」者のほうへ進んでいるとき、皆さんは流れに任せる気持ちのよさを感じます。反対方向に向かおうとすると、流れに逆らうので dis-ease（病気や楽でない状態）を感じます。要するに皆さんのすべての感情はそのどちらかなのです。

どんなときでもネガティブな気分になったら、それは人生が皆さんをその考え、その行動、その言葉以上の存在にしているのだ、ということです。言い換えれば、「人生はわたしがもっとお金を欲しがっていることを知らせてくれた――そしてわたしのソースエネルギーの部分はもうもっと豊かな『存在』になっている」のです。

皆さんの「波動の預託口座」にどれほどの豊かさが集められているか、想像できますか（わたしたちは知っていますよ）。そこでは正真正銘の富が皆さんを待っているのです。皆さんがすべての生涯を通じて集めてきた豊かさがあるのです。ところが、皆さんはしょっちゅう「お金が足りない」と言いますね。もっと重要なのは、お金が足りないという失望の気分です。

「お金が足りない。お金が足りない。あれを買いたいが買えない。あれを買いたいが買えない。欲しいものが買えないのにはもううんざりだ。お金が足りないのにはもううんざりだ。お金が足りない。お金が足りない。お金が足りない。お金が足りない。お金が足りない。知っている人はたいていお金が足りない。誰も十分にお金を持っている人はいない。誰も十分にお金を持っている人はいない。誰も十分にお金を持ってる人はいない。あの金持ちはうなるほどお金を持っている（おもしろいですね）。あの金持ちはうなるほどお金を持っている――自分の分け前よりもはるかにたくさんのお金を持っている。そのお金を浪費して、いらないものを買っている。飢えている人がいるのを知らないのか？（おもしろいですね）お金が足りない。お金が足りない。お金が足りない。あいつは麻薬取引でもしているのではないか（おもしろいですね）。お金が足りない。お金が足りない。お金が足りない。お金が足りない」

わかってほしいのですが、こんなふうに感じていたら、お金は入ってきません。それは無理というものです。波動の周波数が違いすぎます。

失望は自分がお金を流れ込ませていないというしるしです。そして、お金が入ってこないのも、そのしるしです。言い換えれば、自分が何をしているかを示す感情があり、次にそれが実現したあとの認識がある。おわかりですか？　皆さんに気づいてほしいのは、皆さんの人生は皆さんの行動の波動を示す指標だということです。しかし、それ以上に（これだけは理解してほしいので、おわかりになるまで帰しませんよ。いや、冗談です。1分もかからないことですから）、**皆さんの人生は皆さんが出している思考の波動を示す指標なんです。**さて、これを聞いてどう感じましたか？　大切なことだと思われましたか？　自分の人生は自分が出している波動を示す指標だというのは重要なことだと感じましたか？　だが、わたしたちはそれほど重要視してほしくない。なぜなら、**それは波動の指標にすぎないからです。**

「わたしの銀行口座は波動の指標だ。銀行口座の中身がわたしは嫌でたまらない。本当に少ししかお金がない。どうしてもっとたくさんお金が増えないのだ？　どうしてもっと増えないのだ？　どうしてもっと増えないのだ？　どうしてもっと増えないのだ？　どうしてもっと増えないのだ？」どうして増えないのか、それはどうして増えないかを示す指標だからです。

「身体が痛む。とても嫌な気分だ。もっと気分のいい身体でいたい。診断を下されたが、わたしは自分の身体に起こっていることが嫌でたまらない」**皆さんの身体と人生は皆さんの波動の指標です。**それだけ。「自分の身体に何が起こっているのか、わからない。身体をコントロールできない。何が起こっているのかわからない。怖い。どうすればいいのかわからない……」人生のすべては、皆さんが叩いているドラムを示す指標です。それだけのことです。

人々は人生の現実を、それが重要なことであるかのように語ります。理解してほしいのですが、それは一時的な指標にすぎません。ガソリンスタンドに行って——メーターを見ると空っぽです——メーターを恐怖の目で見つめますか？「どうしてこんなことが起こったんだ？（おもしろいですね）。なぜ、なぜ、なぜ、なぜわたしがこんな目にあうんだ？」ハンドルに顔を埋めて泣きますか？「ああ、恐ろしいことになった（おもしろいですね）。もうおしまいだ。一生懸命に生きてきたのに、こんなことになるなんて」それともあっさりと満タンにしますか？

ところが身体に何かが起こると、皆さんは何か知りたくないことを言われるのではないかと恐怖にひしがれて、足取りも重く病院に行くのです。医者は器具を取り出して皆さんの身体のなか、自分では見られないところを調べ、皆さんの身体の指標について語るかもしれない。そうしたら、こう言えばいいのです。「なるほど、そうですか。いや、聞くまでもないんです。知っていました。不調は自分で感じられます」

皆さんの身体や人間関係やお金についての——何についてでも——人生経験はすべて、その瞬間に一時的に皆さんが出している波動の一時的、瞬間的な指標にすぎません。それだけです。

　唯一の問題は、出している波動は一時的なものだということが皆さんにはわかっていないことです。あまり長いこと同じ言葉を語り続けてきたので、それが波動の胃袋にはりついているのです。あまり長いこと同じストーリーを語ってきたので、新しいストーリーがわからないのです。どういうわけか、皆さんは「ありのままを語る」べきだと信じています。

　それでは今言った「ありのままを語る」とはどういうことか、考えてみましょうか。お母さんは言います。「ありのまま、本当のことを言いなさい」そこで皆さんは言う。「お金が足りない。お金が足りない……あなたが嫌いだ。あなたが嫌いだ。あなたが嫌いだ……あなたのしていることが嫌いだ。あなたがわたしのお金を使うやり方が嫌いだ。政府のやり方も嫌いだ。あなたのしていることが嫌いだ……」こういう言い方をすると、皆さんは不安になるでしょう(おもしろいですね)。でも理解してほしいのは、**違うストーリーを語らなくてはいけないということなのです。**

皆さんが波動を出しているポイントは二つある、ということはお話ししましたね――もっと大きなあなた、それから物質世界のあなたです。おわかりですか？　納得しますか？　皆さんは「ソースエネルギー」の存在だということを理解できますか？　それでは叩かれているドラムの違いを聞いてみましょう。「お金が足りない。お金が足りない。お金が足りない……お金はたくさんある。お金はここにある。なんでも用意されている。リソースはちゃんとある。状況も出来事も整っている。お金はある。お金はある。ほら見てごらん。ほら見てごらん。ほら見てごらん」

ここで感情の違いを見分けてほしいのです。「お金が足りない。お金が足りない。お金が足りない。どうしてお金が足りないんだ。お金が足りなくて嫌になる。わたしがどんな間違いをしたと言うんだ？　もっとわかってなくちゃいけなかった。みんなだってもっとわかってなくちゃいけなかったんだ」

お金はたくさんある。困ることは何もない。欲しいものはすべて用意されている。自分の用意ができれば、ちゃんと目の前に出てくる。しなければならないことは何もない。すべてのことはちゃんとしてある。必要なのはリラックスして、経験に楽々と流れ込んでくるようにすること。自分のなかの「源（ソース）」のドラムに耳を澄まそう。「源（ソース）」の呼び声に耳を傾けよう。「源（ソース）」は自分が望むほうへおいでと呼んでいる。その方向

へ進んでいるかどうかは、物事が明るく感じられ、本当に明るくていい気分になるかららわかる。

皆さんが既に舗装し、皆さんのなかの「源（ソース）」が世話をして、望むほうへおいでと呼んでいる道、その道筋に従って進んでいれば、皆さんは元気いっぱいだと感じます。情熱的になります。ところが物質世界ではどう教えているかご存じですか？　物質世界ではこう言うのです。「調子がいいときには、気をつけなさい」

友人に言います。「このことで、すごくワクワクしているんだ」すると友人は言います。「気をつけなさい。気をつけなさいよ。そういうポジティブな感情は何かがとんでもなく間違っているということかもしれないよ（おもしろいですね）。ポジティブだったのに、すごく悪いことが起こった人を知っているよ。用心したほうがいい。今のままでいるほうがいい。きっと彼にだまされる。彼が儲けるんだよ……」

皆さんに理解してほしいのはこういうことです。**皆さんの感じ方がすべてなのです。なぜなら、どう感じるかは、今の自分と「本当の自分」とのギャップが縮まっているのかそれとも広がっているのかを示す指標だからです。**

言葉の一つひとつが下流に向かっているか上流に向かっているか、それを皆さんは感じ取ります。下流に向かう言葉は常にホッとして気分が楽になります。いつでも太陽がさんさんと降り注ぎ、渦巻きキャンデーやバラのように素晴らしいということではありません――いつもこれ以上ないほど最高な気分になるのではありません――でも今いるところから下流に向かう考えは、上流に向かう考えよりは気分がいいのです。もう少し嫌な気分になるか、もう少し明るい気分になるか、少しだけ悪くなるか、少しだけよくなるか、その違いは必ずわかります。

こういう集まりがあると、皆さんはすごく明るくていい気分にならないといけない、と思ったりします。でも、やたらとポジティブな人たちに前からうんざりしているので、自分もそうなるのかと思うとぞっとするのです。言い換えれば、自分が幸せでないのに幸せな人を見るほどおもしろくないことはありません。自分はそうではないのに、望みどおりの人生を送っている人を見るほど、さらには「わたしの人生がどんなに素晴らしいか聞かせてあげましょう」と言われるほど、おもしろくないことはありません。そんなところに「行くのはよそう」ということになります（おかしいでしょう）。

人と自分を比べたりしなくていいのです。今抱いている考えが上流に向かっているか下流に向かっているか、それだけ気づいてほしいのです。なぜだか、わかりますか？　今抱いている考え、それが引き寄せの作用点だからです。今抱いている考えが、どんな人生になるかの指標だからです。ただし、一つだけお話ししておかなければならないことがあります（たぶん、もうご存じでしょうが）。**波動を出してからその証拠が現れ始めるまでには、時間差があるということです。皆さんのどんな創造でも、証拠が**

現れる前に、波動のなかで99パーセント以上は完成しています。だから、証拠が現れ出したら、もう皆さんはしばらく前から下流に向かっていたのです。でも、皆さんは気がつかない。なんでもすぐに実現することを望むからです。

ジェリーとエスターがガイドに、「すぐに目的地に行きたい。だから、時間をかけて川下りをするのは嫌です。いかだをバスに戻して、渓谷を下りましょう。そのほうがずっと早い。目的地から数百ヤード離れたところでいかだを下ろせば、すぐに着くじゃないですか」と言うなんて考えられますか？　ガイドは言うでしょうね。「あんたがた、川下りをしに来たんでしょうに」

わたしたちが言いたいのもそれです。**皆さんは川下りがしたい。コントラストを見極めたいのです。**皆さんは、選択肢があったなら（ありましたよ）――この物質世界に来るという選択ができたなら（できましたよ）――この物質世界の経験を選べたなら、ふかふかの巣を欲しいものでいっぱいにして、ほんのちょっとでも嫌な気分になるようなものはいっさいない環境にしたのに、と考えます（できなくてよかったですね）。

親たちの多くは子どもにそうしてやろうとして、子どもが生きるはずのコントラストを一時的に奪ってしまいます。皆さんはこう言ったのです。「わたしはコントラストのなかに入っていき、そこで自分の好むことを見極めるだろう。それは素晴らしいことだ。自分が好むことがわかれば、それに波動を合わせればいいし、『引き寄せの法則』がそれを引き寄せてくれる。そうしたらまた新しい土台ができて、そこからまた自分が好むことを選び出す。それに波動を合わせ、『引き寄せの法則』がそれを引き寄せる。人生というブッフェからいちばん好きなものを取り出し、それを使って自分の立場から見る完璧な人生を作り出そう」

ところがここへ来てみると、周りには自分の「ナビゲーションシステム」を見失った「機能不全」の人たちがいっぱいいて、皆さんに言うのです。「わたしは条件付きで愛して、条件付きで生きている。つまり、いい条件ならいい気分だし、悪い条件なら嫌な気分だということだ。そこで、わたしがあなたに求めるいい条件についてのルールはこれこれだ。あなたはわたしの人生にかかわっていて、しょっちゅうわたしの目に入る（わたしはあなたの雇い主だから、母親だから、父親だから、教師だから、お目付け役を任されているから）。あなたが目に入るとき、わたしはいい気分でいたい。だからあなたはわたし、わたし、わたし、わたしがいい気分でいられるように行動しなくてはいけない。あなたは自己中心的ではいけない。わたしがいい気分になるように行動しなくてはいけない（わたしは自己中心的な母親だから）。もし、わたしが嫌な気分になるようなことをあなたがしたら、あなたはひどい目にあうだろう」

もし、相手が一人しかいなくて、その相手がいつも首尾一貫していれば、それでもいいかもしれません。しかし、相手は気まぐれだし、ほかにもたくさんの人がいて、いろいろと違ったことを皆さんに要求します。皆さんはいくら七転八倒しても、全員を幸せにすることはできない。まもなく、どれほどがんばっても彼らを幸せにはできないと悟るでしょう。わたしたちが言いたいのは、この物質世界へ来たとき、皆さんは誰も他人の言うことに耳を傾けようとは思っていなかった、ということです。皆さんは人生が自分を拡大させてくれること、そしてその拡大した「存在」が皆さんを招き寄せ、その拡大のほうへ向かっているとき、自分は明るくていい気分になる、ということを知っていました。そして他人はすべて方程式から外しておくつもりだったのです（本当ですよ）。

皆さんは他人の言うことに導かれて人生を送るつもりはなかった。だいたいほかの人たちの関心なんて長続きしません（お気づきでしたか？）。恋人があなたにだけ関心を注いでくれたのは、どれくらいの間ですか？　誰も、そう長くはなかった、と言う勇気はないでしょうが。そう長くはなかった、とは言いたくないでしょうね。お母さんがあなたにだけ関心を注いでくれたのはどれくらいの間でしょう？　そう長くはありません。誰にもそんなことはできない。誰も皆さんの世話係として生まれたわけではないのですから。誰でも自分自身の経験の創造者として生まれたのです。そして、最大の偽善は（最大のトラブルのもとは）、その人たちが皆さんに、あなたは大事な人だと言うことでしょう。しかし、本当はその人たちにとっていちばん大事なのは、自分がどう感じるかです。だからその人たちは自分がいい気分になるほうへ、皆さんや皆さんの行動を導こうとするのです。

そのため、皆さんはとても恨みがましい気分になる。なぜなら、今すぐ自分の人生を素晴らしくするには、誰でも自分のために生きていることを認めるべきだと知っているからです。**それは悪いことではありません。それは本当は誰でも「ソースエネルギー」であり、誰でも新しい願望のロケットを打ち出すために生まれてきた、という意味です。誰でも自分のなかに「源（ソース）」を持っていて、その「源（ソース）」が自分にとって最善の利益になる方向へ導いてくれるのです。それがどんなに素晴らしい世界か、想像してみてください。**

誰もが自分の「ナビゲーションシステム」を持ち、それが「源（ソース）」であるなら、そして誰もが今よりもっといい経験へと呼び寄せられているなら、また誰もが——あるいは大半が、それとも一部であっても——その呼び声を聞いてそちらのほうへ向かうなら、この世界がどれほど素晴らしいところになるか、皆さんは想像できますか？　「源（ソース）」と調和していれば、誰も暴力的な、あるいはネガティブな行動はとらないことをご存じですか？　そんなことはあり得ないのです。ネガティブといわれる行動は１００パーセント、その人がぼろぼろででこぼこの先端にいるから起こるのです。その人たちは空虚さを埋めようとして、自分が望むところへ行こうとして、しかし決して望むところへは行けないやり方をしているのです。

あなたのストーリーが示すのは？

さて、わたしたちは皆さんのなかにとても強力なポイントを作ったと思います。エスターが持っているすべてをそこに注ぎ込みました（おもしろいでしょう）。わたしたちはエスターに思考のかたまりを投影し、その思考は皆さんにこう言っています。「皆さんは自分の経験の創造者だ。当初の目的どおり喜びに満ちた経験をしようと思うなら、意図的に創造しなければならない。どの瞬間にも『源（ソース）』の目で世界を見ないかぎり、皆さんは自分という『存在』の影でしかない。つまり、なんでも自分が関心を向けていることを愛さないとしたら、皆さんは本来の自分ではなくなる。ネガティブな感情は皆さんが『本当の自分』からずれていることを意味している」

そこで、わたしたちは力強く素晴らしい前向きな感情について語るわけですが、皆さんにはたった一つの感情を目指していただきたいと思います。その感情にシンプルなラベルを貼りましょう。それは「ホッとして楽になる」ということです。それから、皆さんが今どこにいるとしても――これはとても重要なことですが――今いるところが今いるところだ、ということです。「今いるところが今いるところ。人間関係についても、身体についても、お金についても、哲学についても、世界観についても、家族についても――あらゆることに関して、今いるところが今いるところ。つまり、自分が出し続けている波動によって、想像し得るあらゆることについての一貫した引き寄せの作用点ができている」ということなのです。

言い換えれば、人生経験には偶然に起こったことは何一つありません。すべては皆さんが出している思考、思考パターンに反応して起こっています。そのほとんどはとてもいいことでしょう、違いますか？　言い換えれば、わたしたちが言っているのは微調整のことです。もう少しだけ自分が望む方向へ近づこうということです。

ぜひこのお話をしたいと思うのは、この集まりで自分が引き寄せの作用点であること、自分が波動の信号を出し、それを「引き寄せの法則」が複製していること、人生が仕向けてくれた自分と歩調を合わせているかいないかは自分の感じ方でわかることを知って帰ってくだされば――そしてなにより重要なのは自分の感じ方であって、それが真実かどうかではないことに気づき、自分の感じ方をなによりも大切にするようになれば――皆さんは本来意図したとおりの喜びに満ちた意図的な創造者になれるからです。

だから、ホッとして楽な気分になることを目指してください。今日の集まりではどうやってホッとして楽な気分になる考えを見つけるかをお教えしましょう。

どんな集まりでも、取り上げたいことにはきりがないものです。わたしたちは皆さんにとって重要なことならなんでもお話しするつもりです。ただ、皆さんはたった今波動の信号を出していること、少しの間、出し続ければ（それはたいした長さではありません）波動の周波数が決まって、引き寄せのパターンも決まることを思い出してほしいのです。だから、今のままの人生ではなくて、自分が望む人生についてのストーリーを今すぐに語り始めればとても役に立ちます。今まであったとおりに語っていれば、その引き寄せのパターンが定着するだけですから。

ネガティブな引き寄せとは、実は既に始まっているポジティブな引き寄せを妨げているだけだ、ということを感じられますか？　このことは誤解のないようにはっきり言っておきたいと思います。暗黒の「源」などありません。皆さんは部屋へ入って、闇のスイッチを探すのではないのです。「そうだ、このスイッチを押せば、部屋にはインクのような真っ暗な闇が訪れて、光を覆ってしまうぞ」そんなことはないのはおわかりでしょう。嫌なことの「源」も、悪の「源」も、病気の「源」もありません――あるのは流れを妨げることだけです。人生に仕向けられてなりゆくあなたがいるのに、そちらの方向へ進むことを妨げている。それだけなのです。

だから、すべては皆さんが考えるよりずっとシンプルです。皆さんのパワーがあるのはこの瞬間です。この瞬間に皆さんは波動を活性化するのです。はるか昔に起こったことについての波動を活性化するかもしれません。でも、そうしているのは今です。

明日あるいは10年先に起こるかもしれないことについて考えるかもしれません。でも、そうしているのは今です。

だから何を考えても、信号を出しているのは今で、今が引き寄せの作用点なのです。そして少なくとも17秒、引き寄せの作用点を出し続けていると、「引き寄せの法則」が発動します。言い換えれば、それがマッチした思考が引き寄せられてくる燃焼点というわけです。その思考をまた17秒続ければ、また燃焼点になります。どんな思考でも68秒も続ければ波動が一致して物事が動き出し、見る人が見ればわかるくらいの現象が起こり始めます。それだけです。**68秒間、今の状態ではなくこうあってほしいと思う状態を語る。人生で実現したいと思うことがありますか？ そのストーリーを語り続けてください。人生のなかでこれは嫌だと思うことがありますか？ そのストーリーは語ってはいけません。**

「でも、わたしは忙しい。することがたくさんありすぎて、手が回らないくらいです。妻にせっつかれているんですよ」いい知らせがあります。これからはネガティブなドラムを叩けば必ず自分で気づく、ということです。これはとてもいいことですよ。なぜなら、自分が何を選んでいるかがわからなければ、明るくていい気分になることを選べないのですから。だから、ホッとして気分が楽になること、それを目指すべきなのです。

それでは、何か話したいことがありますか？

お金の波動のエッセンスは？

質問　お話をありがとうございました。わたしが長年集めてきたというその正真正銘の富ですが、わたしは……

エイブラハム　皮肉を言ってはいけませんよ（いや、冗談です）。

質問　それを「許容・可能にする」ほうへ意図的に近づくにはどうすればいいのか、もう少し説明していただきたいのです。

エイブラハム　わたしたちの言葉を聞く人（特にこの部屋にいる人たち）は、今日一日が終わったら、「エイブラハムって、本当に細かいことにうるさいよな」と言いたいと感じるかもしれません。だが、できることなら皆さんに感じてほしいのは、今の質問が生まれたのはどんな気持ちの場所（フィーリング・スポット）かということです。言い換えれば、「正真正銘の富」という言葉にはちょっとからかうような調子があります。「もし、そんなものがあるなら……（おもしろいですね）、自分の分はどこにあるんだい？　『引き寄せの法則』があんたがたの言うようなものなら、そしてわたしがその富を集めているなら、それはどこにあって、どうすれば手に入るのだね？」

　そこで、この言葉に支配的な波動はなんなのか、ちょっとだけ、皆さんに感じてほしいのです。あなたはお金が欠乏しているという波動を出しているのか、それともお金があるという波動を出しているのでしょうか？（欠乏ですね）

　すると、皆さんは言うでしょう。「当然じゃないか。だって、彼はまだ手に入れていないんだ。それなのに、まだ達成していない状態の波動がどうして出せるんだ？」

　しかし、皆さんはどうすればそれができるかを見つけなくてはなりません。そうしなければ、達成したいと思う状況にはなれないからです。波動のエッセンスを見つけなければならないのです。

　最初は疑問を感じるのも当然だと、わたしたちも思います。「それはどこにあるんだ？　わたしがどんな悪いことをした？　どうすればよかったんだ？」普通、皆さんはこう言いますね。しかし、物事についてのこういう言葉や姿勢に隠れた罠に気づいてほしいのです。大事なことは、**お金がないということから自分を引き離し、自分のなかでお金の感覚を活性化する方法を見つけなくてはならない、ということです。**

　それは自分が今経験している豊かさを高く評価する気分、もっとお金が入ってくる可能性を高く評価する気分です。実際、「希望」という姿勢のほうが、「疑い」の波動にいるよりははるかに「許容・可能にする」波動に近づいています。

だから「正真正銘の富」という皮肉について、ちょっとからかったわけですが、皆さんに気づいてほしいのは、**皮肉な気分、悲観的な気分は、前向きな気分、希望的な気分と全然違う**ということです。そこで、さっきの質問の答えです。「どうすればわたしの富が流れてくるのか？　わたしが富に近づけるようになるのか？」それは、既に実現したつもりになることによって、です。その富の一部を頭のなかで使うことです。それを手にしたらどんなに楽しいかを想像することです。ホッとする理由がまだなくても、ホッとして楽な気分になることです。自分の感じ方を大切にして、現実から思考を引き離すことです。

だから皮肉は（もうちょっと、からかいますが）、楽観主義や前向きな期待とは全然違うのです。「お金はなかなかやって来ない。『波動の預託口座』にあると信じかけてはいるのだが、どうすればそれが入ってくるのかわからない」この言葉がどんな感じがするかを感じてみてください。それから、「これができるようになったら素晴らしいぞ。これができるようになったら素晴らしいぞ」と言うのと、どう違うかを感じてみてください。抵抗を捨てましょう。「どうすればいいかわからない。長いこと努力してきたが、どうすればいいかわからない」これは完全に上流に向かう、抵抗の考え方です。「これができるようになったらいいなあ」というのは抵抗を捨てています。

「これができるようになったら素晴らしいぞ。毎日少しずつその経験が見えてくる。いろんなテーマで見えてくる。どんどん上手にできるようになっている。自分のために集められた富があると知っていると楽しい。自分の人生経験を通して『波動の預託口座』が増えていると知っていると楽しい。自分のなかの『源（ソース）』が既に受け取ることを期待していると気づくと楽しい。

ネガティブな感情そのものが、自分が『源（ソース）』の見方と離れているしるしだとわかってうれしい。ネガティブな感情は、『源（ソース）』がわたしを豊かだと思っているのに、自分では思っていないというしるしだ。『源（ソース）』がもっと前向きな明るい気分へと導いてくれると思うとうれしいし、ネガティブな感情は自分が『源（ソース）』の思考と違う方向を向いているしるしだと知っているのもうれしい。そういうことがわかってよかったと思う。

うまくできるようになった。自分の感じ方に気づけるし、違いがわかる。自分が考えることと感じることと実現することの関係もわかっている。習慣的な気分が変化するにつれて現実も変化することを知っている。それに、それまで考えていたことと違うことを考えるには、初めはちょっと集中力がいることも理解している。だが集中していれば、どんどんやさしくなっていくこともわかる。それから、長く言っていればいるほど言うのが簡単になるし、言うのが簡単になればなるほど、期待するのも簡単になる。期待はまた違う感情を運んでくれる。希望と疑いの感情の違いはわかる。ワクワクする気分とがっくりする気分の違いもわかる。ちゃんと見分けられる。自分にはできると知っている」こういう言葉がすべてを変えるのです。これは効果があります。

なかなか進まないと感じられるのもわかりますが、しかし、効果はあります。皆さんの習慣的な思考はいっぺんにできたのではありません（習慣的なというのは、必ずしもネガティブという意味ではありません。習慣的なというのは、それについていつも考えている、という意味です）。習慣的な思考はだんだんにできていくものです。だから、そこからの変化もいっぺんにはできません。だんだんに変化していくのです。いっぺんに変化しようと思うと、うまくいかないでしょう。それでがっかりしてしまいます。ですが、だんだんに変化するのだと思っていれば、うまくいきますし、そうなればやる気が起こります。だからとにかく一つだけ、自分が望むストーリーを自分が望むやり方で語ってみましょう。

わたしたちなら、こんなストーリーを語ります。「最近、『波動の預託口座』にはわたしの正真正銘の富が待っていると聞いた。とてもいい話じゃないか。それが自分の人生経験や生き方のおかげだなんて、本当にワクワクする。自分が望むなんにでもなれるし、なんでもできるし、なんでも手に入るなんて、素晴らしい考えだ。だから自分が望む人生のストーリーを語ることにしよう。お金が幸せへの道だとは思わないが、諸悪の根源だとも思わない。お金は自由への道だ。お金があれば選択肢も増えるし、選択肢が増えれば、もっと楽しいぞ。自分がそうなれるかどうかではなくて、実現したらどう感じるかを基準に何をしたいかを考えるのは楽しい。

お金が増えることで選択肢が増えるのはうれしい。だから、正真正銘の富が待っていると考えるだけでワクワクしているわけではないと思う。それが自分にとって、家族にとって、それから周りの人たちにとってどんな意味を持つか、それから人生観にとってどんな意味を持つか、人生の経験の仕方についてどんな意味を持つか、それを考えてワクワクしているのだ。いろいろな変化が起こると思うと、すごくワクワクする。

いろいろな面で自分の人生を愛しているが、しかしこれから入ってくるお金のおかげで、人生がこんなふうにも、こんなふうにも、こんなふうにも充実するだろう。今日余分な１００ドルがあれば、こんな変化が起こる。今年余分な10万ドルがあれば、こんなことができる。毎年余分な50万ドルがあれば、あそこでこんな暮らしができるじゃないか。あんな車も運転できる。こんな仕事もできる。あそこでは仕事をしなくても済む」（おもしろいでしょう）。心のなかでこんなふうに想像してみてください。ビジョンを描いてください。

おもしろいゲームをお教えしましょう。これはわたしたちが見たなかで（大勢の人が実行するのを見てきました）いちばん夢の実現につながる、本当に強力なゲームです。**ポケットに100ドル入れて、毎日頭のなかで何度も何度も繰り返して、この100ドルを使うのです。その気になったらどんなにたくさんの物がこの100ドルで買えるか、考えてください。**

　こんな簡単なゲームがお金についての感じ方をどれほど変えるか、それはびっくりするほどです。このゲームは皆さんを解放してくれます。皆さんはいつも「ああ、あれが欲しいが買えない」と言い続けているからです。でもこの100ドルがあれば、「欲しければ、あれが買える。欲しければ買える。買える」と言うようになります。だから、「あれは買えない」と何度も繰り返して言う代わりに、「欲しければ買える。欲しければ買える。欲しければ買える」と何度も繰り返すわけです。

　ある人はこんなふうに言いました。「でもエイブラハム、最近の物質世界をご存じないようだ。100ドルくらいじゃ、たいした物は買えませんよ」そこで、わたしたちは答えました。今日、この100ドルを1000回使ったら、あなたは10万ドル使うことになりますよ。そして、あなたの波動には大きな変化が起こります。すると、人は言うのです。「でも、それは本物（リアル）じゃないでしょう」わたしたちは言います。「やがて本物（リアル）になります。やがて本物（リアル）になります。まずそれを感じる、次にあなたのなかで波動が安定する。そうすれば本物（リアル）になるのです」

「引き寄せの法則」は必ず皆さんが波動のなかで呼び出したものへの道を、方法を、共同創造を、結果をもたらしてくれます。**波動のなかで豊かさを呼び出せば、実体験として豊かさが現れるのです。それはいろんな方法で現れるでしょう。曲がり角を曲がるたびに現れるでしょう。皆さんのなかで豊かさをそれまでよりもさらに少し活性化するだけで、どこを見ても、豊かさの大きな証拠が現れるでしょう。**

それは皆さんが思うようなたいそうなことではありません。どうしてそんなたいそうなことだと思うのか、ご存じですか？　皆さんが今の状態を見ているから、今の状態の波動を出しているから、今の状態がいつまでも長く続くのです。皆さんは言います。「こんなに努力したのに。こんなにがんばったのに。こんなに長く働いてきたのに、結局、これだけにしかならなかった。こんなに努力して、たったこれだけなのに、そんな少しばかりの努力でどうなるというのか？」そこでわたしたちは言うのです。あなたが努力したのは行動だ。わたしたちは波動の努力をしなさいと勧めている。**波動の努力は、世界を創造している「エネルギー」とパワーの利用を可能にしてくれるのです、**と。

波動が変化すれば、そしてそれが続けば、現実も大きく変化します。しかし「あれが欲しい、でも……。あれが欲しい、でも……。あれが欲しい、でも……」と言っていたら、ちっとも前進できません。そうではなく、「あれが欲しい、なぜなら。あれ

が欲しい、なぜなら。**あれが欲しい、なぜなら」と言えば、前進できるのです。**

皆さんが「自分はできると信じる。できると思う。できるか疑わしい。本当はできない。できると信じる。したいと思うが、しかし、できるか疑わしい。本当はできない。だが、できたらいいな。本当にできたらいいと思うが、しかし、できない。なぜなら、今までだってできなかったから。でも、したい。本当にしたい。でも、できない。できる人なんかいない。だが、したいと思う。したいと思うが、しかし難しい。全然、前進できない。でも、したい。だが、どうしていいかわからない……」と言っていたのでは、何も変わりません。いつも昔と同じ、相変わらずの習慣的な「感じ方」です。**意志の力で違うストーリーに思考を集中させなくてはいけません。**それでは、皆さんのお金のストーリーを聞かせてください。

金銭的成功のストーリー

質問　**すべてはうまくいっている――今のお話をずっと聞いていて、浮かんだのはそれです。すべてはうまくいっている。わたしはそれを自分のなかに感じています。とても素晴らしい生き生きした気分です。これは成功の一部でしょうか?**

エイブラハム　それがプロセスのすべてです。なぜならさっき言ったように、すべての創造は99パーセントまで、皆さんが証拠を目にする前に波動のなかで完成しているからです。例えば、フェニックスからサンディエゴに行くようなものです。サンディエゴが行きたいところ、目的地ですが、そこまでの400マイルの過程のほとんどで皆さんは行きたいところにはいません。だからっていら立つなら、波動でいえば皆さんはフェニックスに引き返してしまうことになります。決して目的地には着けないでしょう。でも、実際の旅の場合には「これが旅というものだから気にしない。自分の進み具合がわかるし、目的地にピントを合わせていれば、1マイルずつ望まない場所から離れて望む場所に近づいていくのがわかるから」と言うはずです。

皆さんは目的地にどんどん近づいている証拠を見られるから、信念が揺るぎません。だから（歩いて旅するのでないかぎり）誰もがっかりしたりしない。言い換えれば、信念を持ち続けます。「サンディエゴに行くなんて不可能な夢だ」とは言いません。「サンディエゴへ行きたいというのは不治の病だ。いくら努力しても、努力しても、到達できない」とも言いません。なぜならそこには到達できるし、皆さんはそれを知っているからです。

自分の感じ方が自分が進む方向を示す証拠だとわかって、「わたしは明るくて前向きな気分だ。『すべてはうまくいっている』と言うときは、本気でそう思っている。すべてがうまくいくのが感じられる」と心から自分に言うなら、到達できないことはあり得ません。その期待と姿勢と波動の周波数を維持し続ければ、必ずそうなります。それも大して時間がかからずに。

するとし、皆さんは言うでしょう。「そうか、それならわたしは途上にいる。わたしはエイブラハムに話し、エイブラハムは68秒以上話し続けたから、わたしもその波動を感じた。そして、わたしは『すべてはうまくいっている』と言う。本当にそう感じる。ところが実生活に目を向けると、まだ『サンディエゴ』に着いていない。言い換えれば、何かを見たとき自分が望むところにいないので（何かをしたいのに、それができるだけのお金がないので）ネガティブな気分になり、失望を感じた」

けっこう、とわたしたちは言います。失望は、今起こっていることがなんであれ、あなたが期待を失い、期待とは違うところに焦点を定め始めたしるしです。それではもとの気分に戻るにはどうすればいいでしょうか？

その失望のなかで、なんとかもっと明るい気分になることができれば、ネガティブな波動を一掃できるし、そうなれば二度とネガティブな場所には戻らないでしょう。言い換えれば、ネガティブな気分になっても、ホッとした楽な気分になろうと努め（今、そうしているように）――そのためには68秒以上かかるでしょうが――本当に身体のなかからホッとして気分が楽になれば、二度とそのネガティブな波動を掃除する必要はなくなります。皆さんは「宇宙」のなかを移動したのです。異なる有利な波動のポイ

ントに移動したのです。

これは、皆さんに聞いていただきたいいちばん大事なことです。異なる有利な波動のポイントに移動すれば、現実に現れる証拠も変化します。皆さんがその努力をした瞬間に、皆さんの新しい波動に「宇宙」のすべてが反応するのです。

その日、皆さんにはとてもいいアイデアが浮かびます。何かをしてくれる――皆さんも何かをしてあげる――人と出会い、その結果として金銭的な何かを交換します。言い換えれば、そのわずかな努力で「サンディエゴ」に近づいたことは見えません。車でドライブするのとは違うのですから。でも、感じることはできるので、わかります。そして感じるから、自分の感じ方がどれほど大切かを理解しているから、皆さんはどんどんその道を進み続けます。そしてまもなく、皆さんは豊かさをただ希望するだけでなく、手に入れるでしょう。ただ信じるだけではなく、わかるでしょう。なぜなら、周りをたくさんの証拠が取り巻くからです。

思考ごとに一つひとつ、皆さんは掃除してきれいにしていくのです。「掃除してきれいにする」とはどういうことでしょう？ **望まないことではなくて、望むことを語ることです。現実と直面するのをやめて、現実を創造し始めるのです。**

だから、友人たちが聞くでしょう。「何があったの？」

皆さんは答えます。「いいことがいっぱい」

友人は言うでしょう。「欲しかった物が買えたの？　就職したかったところに就職できたの？」

皆さんは言います。「そっちに向かっているの」

友人は言うでしょう。「いいえ、質問の意味がわからないのね（おかしいですね）。もう、望みはかなったの？」

皆さんは言います。「答えの意味がわからないのね。そっちに向かっているのよ」

友人が言います。「でも、実現がまだなら、まだ手に入れていないってことでしょう」

皆さんは言います。「いいえ、そうじゃない。もう波動では持っているの。波動では手に入れたから、必ず実現する。それが『法則』だから。もう波動では手に入れたのよ」

「どうして、実現するってわかるの？」

「すごくいい気分だから」

「すると、手に入れる前からいい気分なのね（おかしいですね）。どこか悪いんじゃない？」

「わたしはプロセスを知っているの。願望と波動を調和させたから必ず実現する。それが『法則』だから」

「どうして波動が調和したとわかるの？」ネガティブな友人は言います。「どうして願望と波動が調和したってわかるのよ？」

「そのことを考えると、必ず明るくていい気分になるから。自分の富のことを考えると明るくていい気分になるの。皮肉だの失望だの落ち込みだのは感じない。楽観的な気分になる。だってそれが実現するのを知っているから。それどころかそのお金で何をするか、リストを見てちょうだい。これがそのお金でしたいことのリストよ」

もう一つ、ご紹介したいゲームがあります。小切手帳のゲームです。１０００ドルを口座に入れて（波動の１０００ドルです）、１０００ドルの小切手を切って使うのです。２日目は２０００ドル入れて、使います。３日目は３０００ドル入れて、使います……３６５日目には、36万５０００ドル入れて、使うのです。

そうやってこの（波動の）お金を——頭のなかで——使っているとどうなるか。皆さんはそこに通り道、出口を創るのです。波動の出口が創られると、それは皆さんを通して流れを達成するためにすべてを呼び込みます。だから意欲が生まれます。情熱が生まれます。皆さんは熱心になります。

言い換えれば、この時間と空間を持つ現実で願望に向けた波動の道を舗装しておくと、動きが起こり、その動きに従っていくと、素晴らしい気分になるのです。しかし、その動きに従わないと、とても嫌な気分になります（前にも聞いたことがありますか？）。とても嫌な気分になるのは、皆さんが何かを求め、皆さんの大きな部分はその何かにもうなっているのに、ほかの部分が追いついていないということなのです。

皆さんが原因で皆さんの「流れ」はどんどん速くなっていることに気づいてほしいのです。また「流れ」に従うか逆らうかも――それについて感じることもすべて――皆さん次第なのです。

皆さんが望むすべては、それが実現すれば明るくていい気分になると思うから望むのです。それがお金でも、物でも、人間関係でも、経験でも、環境でも、出来事でも、皆さんが望むすべては、**それが実現すれば素晴らしい気分になれると思うから望むのです。そして、そのことを考えただけで明るくていい気分になるなら、皆さんはその波動のエッセンスを実現したのです。そうなれば「引き寄せの法則」が、皆さんが自分のために彫り上げた人生の入り組んだ細部まですべての面で必ずそれを引き寄せてくれます。必ずそうなるはずです。実際、そうなるのです。**

皆さんは今の環境で、今の人生に触発されて、未来に向かってもっといい人生経験を投影します。新しい「エネルギー」が抵抗のない新しい赤ちゃんの身体に宿れば、その赤ちゃんたちが(抵抗のない新しい存在だから)皆さんが大衆意識の「波動の預託口座」に投入したものの実りを得るでしょう。皆さんが皆さんの時空で、過去の世代が投入したものの実りを得るのと同じです。人間として改善を求めずに生きることはできないからです。皆さんにお知らせしたいのは、ギャップを縮めるのにくたばるまで

（死ぬまで）待つ必要はないし、既に打ち上げた願望の実りを得るために生まれ直す必要もないということです。今のこの人生経験でそれができるし、皆さんはそのつもりで生まれてきたのです。

皆さんは言いました。「わたしは前進する。そして多様性に触発されて、ある考えが浮かぶ。考えが浮かんだら、それに集中的に関心を注ごう」わたしたちが話してきたのも同じことではありませんでしたか？　新しく生まれた願望に集中的に関心を注ぎなさい。願望が生まれるベースとなった現実は気にしなくてよろしい。

今の状態とは関係なく、認識のなかで「わたしがいるのはここだ」と宣言すること。このセミナーで、皆さんにいちばんしっかりと聞いていただきたいのはそのことです。今どこにいるかは問題ではない、そんなのは一時的なことです。それはガソリンのメーターみたいなものです。特に最近はどんなに速くメーターが動くか、ご存じですか（おかしいでしょう）。言い換えれば、それはただの指標、それだけです。指標なのです。

だから、現実として現れているのも、一時的な波動の一時的な指標です。ですが、皆さんは言います。「それほど一時的だとは感じられない。なぜならこんなに長く経験しているから」それは皆さんが同じ反応をして、同じ波動を出してきたから、だから同じことが起こり続けるのです。**だが、それは同じに見えても新しいことです。皆**

さんは同じ人生を生きているのではない。新しい波動の新しい人生を新しく生きているのです。昨日と同じ考え方をするという思考パターンができているから、今出している波動が昨日出していた波動と同じだ、というだけです。

育った家からしばらく離れているとしたら、あるいは育ったころにそばにいた人たちからしばらく離れているとしたら、そして家も人々もまだ健在だとしたら、近々そこへ出かけて、自分がどんな感じがするか見てください。どれほどいろいろなことが起こったか、そこにいたころに比べて自分がどれほど変わったかがわかるでしょう。そうしたら毎日の一瞬一瞬に皆さんのなかで拡大が起こっているのだと気づくでしょう。

皆さんの質問は大歓迎です。「今いるところから行きたいところへ行くにはどうすればいいか？」答えはこうです。行きたいところに目を向けて、行きたい方向に向けて語りなさい。決して来たほうを振り返ってはいけません。それさえできれば、明日にでも、皆さんの「正真正銘の富」の証拠が現れるでしょう。

参加者　素晴らしい。ありがとうございました。

ボストン・ワークショップの終わりに

エイブラハム　わたしたちはこの交流を楽しみました。ここにいる皆さん一人ひとりとの交流を楽しみました。ここにやってきて、どこかに埋まっているはずの金塊を探す方法について辛抱強く話を聞こうという皆さんの意志をうれしく思います。

わたしたちがこうしてお話ししてきたのは、皆さんが望む結果を得るためではなく、皆さんにホッとした楽な気分を実感してもらうため、そしていつでもその気分を再発見できることを知ってもらうためです。

願望の実現が皆さんの人生経験にとって不可欠だから、その実現へと導こうというのではありません。自分の波動をつかんでほしいから、願望の実現を成功裏に創造するほうへ導いてあげたいのです。なぜなら、皆さんの今の波動が今の人生だからです。

今皆さんが感じているのは、今までになった自分となりゆく自分の混合物です。そしてそれ以外に真実はありません。そして皆さんが「本当の自分」のほうへ向かうために持っているツールを認識すれば、本来の目的だった喜びあふれる「存在」になるツールを手に入れることになります。

わたしたちは皆さんに大富豪になっていただきたいと思っているわけではありませ

んが、でも皆さんはそうなるかもしれません。わたしたちは皆さんに喜びあふれる「存在」になり、どうすればそうなれるかを発見することを楽しんでほしいのです。皆さんが物質世界に来るときに思っていたように、物質世界の身体での川下りが大切なものになってほしいと思っています。

皆さんには、自分が何を望まないかを知って、何を望むかを明確にしてほしいし、その違いをわかってほしいと思います。望むほうへ向いたときのホッとした安らかな気分を感じてほしいし、ついさっき経験したように、波動がよくなったと知るのはどんな感じかを知ってほしいと思います。それから「宇宙の力」が皆さんの周りに集まってきて調和の証拠を見せてくれるのがどんなにうれしくて爽快な感じかを知ってほしいのです。それから新しい土台に立ってコントラストを感じ、また願望のロケットを打ち上げてほしいのです。

皆さんには新しい願望、願望と波動の関係を感じてほしい。そしてもう一度、人生がなるように仕向けた自分に同調していないことを認識してほしいと思います。だが今まで何度もしてきたことだから、どうすればいいかはもうわかっている、と気づいてほしいのです。そして意図的に少しずつ明るくていい気分になる思考へと手を伸ばしてほしいと思います。**少しずつ明るくていい気分になる思考へと手を伸ばし、自分が望む方向に近づく――そして新たな実現を感じてください。**

人生という粘土に両手をかけて、その粘土をこねてください。結果を出しなさいと言っているのではありません。調和のプロセスになってほしいのです。皆さんの身体のなかのエネルギーを大切にしてほしい。皆さんが明るくていいものにしていく感情を大切にしてほしい。それから明るくていい感情の結果として現れる証拠に気づくことを大切にしてほしい。

皆さんがどう感じていたかも、どう感じているかも、わたしたちは愛しています。そして、どう感じたかを感じられなければ、どう感じるかも感じられないという事実も愛しています。言い換えれば人生の波動の関係です。そこには間違っていることは何もありません。すべては粘土をこねあげていくことなのです。

わたしたちはこの集まりを言葉では言い尽くせないほど楽しみました。わたしたちから見れば人生はとてもいいものです。皆さんにも、わたしたちの目で皆さんの世界を見てほしいと思います(ぜひ、見てください)。なぜなら、わたしたちに見えているのは本当に、本当に素晴らしい世界ですから！　この集まりのおかげで、皆さんが素晴らしいときを迎えますように。

ここには皆さんへの偉大な愛があります。そして、いつものように、わたしたちは喜びに満ちて未完のままでいるでしょう。

訳者あとがき

　この本を手にとられた読者は、たぶん既に「引き寄せの法則」はご存じだと思う。「引き寄せの法則」とは、「それ自身に似たものが引き寄せられる」ということだ。今の自分の思考、それと似たものが引き寄せられてきて、やがて物質世界のなかで現実になる。嫌な気分でいたら嫌な気分になることが、明るい気分でいれば明るい気分になることが引き寄せられてくる。それではこの法則をお金に、それから職業や健康に適用するとどうなるか。これが今回のエイブラハムの教えのテーマだ。

　エイブラハムも言っているように、お金があれば幸福になれるわけではないが、でもお金が悪というわけではない。お金は自由を意味する、とエイブラハムは教えている。人は「三つの意図を抱いて生まれてくる。自由、成長、喜びだ」そして「自由は人生のベース、喜びは目的、成長は結果」とエイブラハムは言う。つまりお金は自由であり、ベースなのだ。このことは、今の社会に暮らしている大人なら誰でもうなずくと思う。それでは自由を意味するお金を得るにはどうすればいいか。お金が欲しいという願いを抱いたとき、既にあなたの「波動の預託口座」には欲しいお金が貯えられている。だから、自分にはお金があるのだ、よかった、お金があればあれもできる、これもできる、と明るくていい気分になればいい。ところが「お金が足りない」というほうに関心を向け、お金が足りないと思い続けていると、「お金が足りない」という現実が引き寄せられる。

今は世界的不況だという。たぶん、お金は足りていますよ、十分です、と言い切れる人は（少なくともわたしたち一般人の間では）あまり多くないと思う。しかし、本当にそうなのだろうか。訳者は最近、DVDやケーブルテレビで古い日本映画をよく見る。そこには今では想像もつかないような貧しい生活が描かれていることがある。もう今日のお米がないと嘆く母親がいる。もちろん暖房なんかない。隙間風が吹き抜けていく、家具もろくにないボロ家で、親子が布団をかぶって飢えと寒さをしのいでいる。こんな生活がほんの何十年か前には現実にあった。それに比べれば、今の日本の社会ははるかに豊かだ。一人ひとりが既にある豊かさを明るい気持ちで実感し、次にはその豊かさを互いに分け合ったら、個人も社会もさらに豊かになるだろう。

「人生とは自分が語るストーリー」とエイブラハムは言う。今の現実、あるがままの現実だと思うストーリーを語り続けていたのでは、違う人生は開けない。自分がこうありたいと思う、自分が望む人生のストーリーを語る！　それがすべてだ、とエイブラハムは教えている。しかし、今とまったく違ったストーリーをいきなり語ろうと思っても、それは難しい。だから「少しだけホッとしていい気持ち」になることを心がければいい。この「ホッとした気持ち」こそが、波動が変わったしるしなのだ。そして、少しずつの変化はやがては大きな変化になり、目に見える結果となって現れる。エイブラハムは言う。「すべての成功の秘密（シークレット）はいつも自分を幸せにすること」だと。それがお金についても職業についても健康についても、幸福を実現する鍵なのだ。

今回も編集者の「にしき」さんこと、錦織 新さんに大変お世話になった。「引き寄せの法則」ファンの方々は、編集者という枠を超えて「宇宙の法則」エバンジェリストとして活躍中の「にしき」さんをご存じかもしれない。まだの方は、楽しくてためになる話題が満載されている、にしきさんのブログをぜひご覧になっていただきたい。

吉田利子

エスター・ヒックス、ジェリー・ヒックス
見えない世界にいる教師たちの集合体であるエイブラハムとの対話で導かれた教えを、1986年から仲間内で公開。お金、健康、人間関係など、人生の問題解決にエイブラハムの教えが非常に役立つと気づき、1989年から全米50都市以上でワークショップを開催、人生をよりよくしたい人たちにエイブラハムの教えを広めている。

ホームページ
http://www.abraham-hicks.com/

吉田利子（よしだ・としこ）
埼玉県出身。東京教育大学文学部卒業。訳書に、ニール・ドナルド・ウォルシュ『神との対話』シリーズ（サンマーク出版）、ビル・エモット『日はまた昇る』、スタンリー・ビング『孫子もタマげる勝利術』（ともに草思社）、オリヴァー・サックス『火星の人類学者』（早川書房）、ゲイリー・レナード『神の使者』（河出書房新社）、ドロシー・ロー・ノルト『いちばん大切なこと。』（PHP研究所）など。

お金と引き寄せの法則
富と健康、仕事を引き寄せ成功する究極の方法

2009年2月5日　初版第1刷発行
2015年9月1日　初版第11刷発行

著者　エスター・ヒックス　ジェリー・ヒックス
訳者　吉田利子
発行者　小川 淳
発行所　SBクリエイティブ株式会社
〒106-0032　東京都港区六本木2-4-5
☎03-5549-1201（営業部）
装幀　松田行正＋加藤愛子
DTP　クニメディア株式会社
印刷・製本　中央精版印刷株式会社

落丁本、乱丁本は小社営業部にてお取り替えいたします。定価は、カバーに記載されています。
本書の内容に関するご質問等は、小社学芸書籍編集部まで必ず書面にてお願いいたします。

ISBN 978-4-7973-4990-0